『となえて おぼえる 漢字の本』
〜 使いかた 〜

① 漢字ファミリーのシンボルマークです。下村式では、漢字をなりたちのテーマで12のグループに分けました。（260ページ「漢字ファミリー分類表」参照）

② 見出しの漢字です。本書では漢字を漢字ファミリーごとに、関係の深い順に配列してあります。

③ 部首・画数のほかに、「下村式 はやくりさくいん®」による、漢字の「型」と「書きはじめ」をしめしました。（255ページ参照）

④ 訓読みをひらがな、音読みをカタカナでしめしました。訓読みの細い字は送りがなです。（ ）は小学校で習わない読みかたです。

⑤ 漢字の意味と熟語例をしめしています。意味がいくつもある場合には❶❷…とし、意味ごとに熟語を分けてしめしました。

⑥ 読みや送りがなの注意です。
● 特別な読み…文化庁の定める「常用漢字表」の付表にのっている、特別な読みかたをすることばをしめしました。そのうち（ ）は小学校で習わないことばです。〈都道府県〉は都道府県名に使われる読みです。
● 読み方に注意…④にしめした読みかた以外で読むことばなどをしめしました。
● 送りがなに注意…使いかたによって送りがなに注意が必要なことばをしめしました。

⑦ 漢字が絵から、どのようにできたのかをしめしました。漢字のおおもとの意味や組みたてを、下村式独自の新しいくふうと解釈でわかりやすく説明しています。

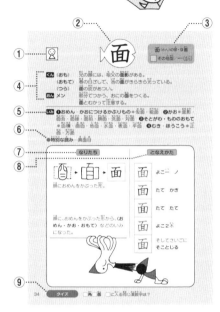

⑧ 漢字の書き順の流れを、下村式の「口唱法®」で、絵かきうたのようにとなえながらおぼえられます。（234ページ「となえかたのやくそく」・266ページ参照）

⑨ この漢字を書くときの注意や、この漢字を使ったことばのクイズなどをのせました。クイズの答えは、258ページにあります。

おうちの方へ●『となえて おぼえる 漢字の本』についてのくわしい説明は266ページを見てください。この本にもとづく『となえて かく 漢字練習ノート』で書きとりをして、読み書きの問題を解くと、さらに学習が深まります。

となえて おぼえる 下村式

漢字の本
かん　じ　　ほん

改訂4版

小学 3 年生

下村 昇＝著　まつい のりこ＝絵

ボートに のって ぎっちらこ。

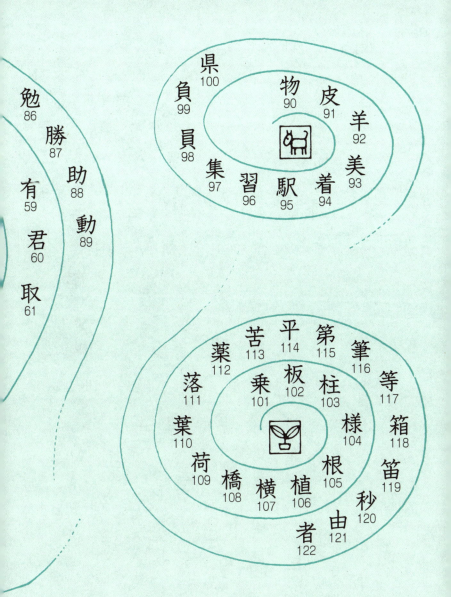

漢字の うずまきが あらわれた。

開 123
宮 127
館 128
向 126
守 129
実 130
定 131
安 132
客 133
写 135
宿 134
庭 138
度 137
庫 136

島 165
岸 164
寒 163
氷 162
漢 161
消 160
湖 159
港 158
注 148
坂 147
究 146
申 145
州 144
決 157
深 156
暗 140
昭 139
昔 143
期 142
流 155
界 177
畑 178
農 179
炭 180

酒 198
配 197
祭 196
福 195
神 194
礼 193
童 192
重 191
両 212
軽 211
転 210
族 209
旅 208
服 206
豆 199
血 184
皿 183
予 181
医 185
区 186
章 187
丁 188
去 189
曲 190
所 205
式 204
業 203
短 202
列 201
主 200

「あれ、漢字の　うずまき
　きえちゃった！」

あぶくの こどもが あらわれて
「こっちへ きてごらん!」

こびとが　どんどん
ふねを　こいでいくと……
あれあれ、あれは　なんだろう。

「漢字はね、
えから　できたんだよ。
どの漢字にも、
なりたちのところが　あるから
よく　みてごらん。」
と、あぶくの　こどもが
　　　　　　　いいました。

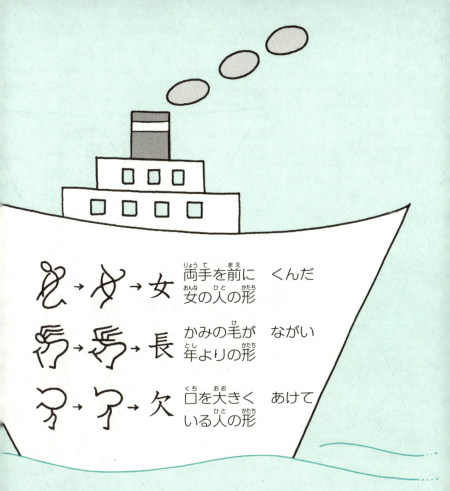

乞 → 女 → 女　両手を前に　くんだ
　　　　　　　女の人の形

乕 → 乕 → 長　かみの毛が　ながい
　　　　　　　年よりの形

ア → ア → 欠　口を大きく　あけて
　　　　　　　いる人の形

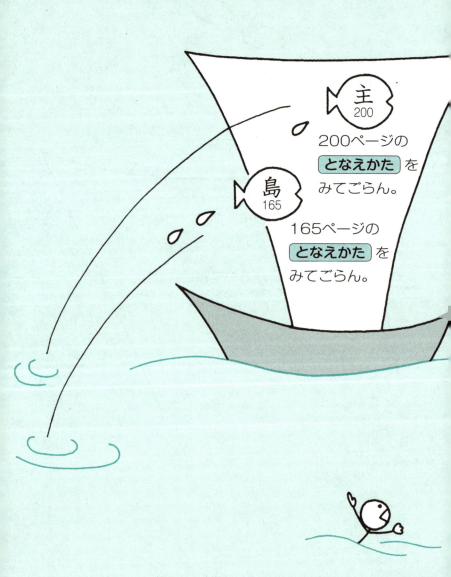

「となえかた」はね、漢字を
口で となえながら 書けるように
してあるんだよ。」
と、あぶくの こどもが
おしえてくれました。

　さあ、ふねをこいで
　どんどん すすみましょう。

干(いち/じゅう)の部・8画
□その他型／一(よこぼう)

くん さいわい　ころんだが、幸い、けがはなかった。
　　　しあわせ　祖父は幸せな一生を送った。
　　　（さち）　結婚する二人に、幸多かれといのる。
おん コウ　シンデレラは城にいくことで、幸福にめぐりあえた。

いみ ❶しあわせ・さいわい・運がよい ● 幸運・幸便・幸福・至幸・多幸・薄幸・不幸　❷天子の外出 ● 行幸・巡幸・臨幸

なりたち

首がまがって、若死にする形。

とちゅうでとめられた形で、「さからう」のいみ。

若死にするはずが、死をまぬがれるということから、〈しあわせ・さいわい〉のいみをあらわす。

となえかた

よこ　たて
よこで

ソをかいて

したをみじかく
よこ2本

そしてさいごに
たておろす

きを　つけよう　「幸い」「幸せ」は「幸わい」「幸わせ」としない。

大（だい）の部・5画
□ その他型／｜（たてぼう）

くん ——
おん オウ　矢は、みごとに的の**中央**に命中した。
母は**県立中央病院**につとめている。
中央や中心になる点や組織を、英語でセンターという。
中央アルプスは、木曽山脈の別名だ。

いみ なかば・まんなか・**中心**●震央・中央

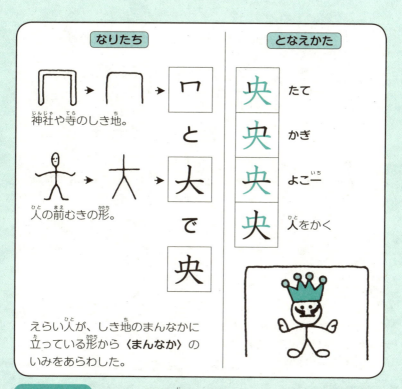

なりたち

神社や寺のしき地。
人の前むきの形。
口と大で央
えらい人が、しき地のまんなかに立っている形から〈まんなか〉のいみをあらわした。

となえかた

央　たて
央　かぎ
央　よこ一
央　人をかく

きを　つけよう　央と　にている字…史

ヒ（ひ）の部・4画
左右型／ノ（ななめぼう）

- **くん** ばける キツネが美女に化けて、人間の男と結婚する話。
  ばかす タヌキが人間を化かす話は、日本各地に伝わる。
- **おん** カ 市の美化運動のポスターをかく。
  （ケ） 神さまが白ヘビに化身する昔話を読んだ。

- **いみ** ❶ばける・ばかす ●化け物・お化け・化粧・化身・変化 ❷かわる・かえる ●化学・化合・化石・悪化・消化・進化・退化・同化・美化・変化 ❸心やおこないをよいほうにかえる ●感化・教化・強化・徳化・文化

なりたち

人のよこむきの形。

人がさかさまになった形。

イとヒで化

タコになれ！

人がさかさまになるということから〈ばける・かわる〉のいみをあらわす。

となえかた

にんべんに（イをかいて）

ノをかいて

たてまげはねる

クイズ 化けの□をはぐ □に入るのは？ ①皮 ②革 ③布

人(ひと)の部・5画
左右型／ノ(ななめぼう)

くん つかえる　公務員というのは、国民に**仕える**職業だ。
おん シ　　　　父は、春がいちばん**仕事**がいそがしいそうだ。
　　　(ジ)　　　母は旅館で**給仕**のパートをしている。

いみ ❶つかえる・目上の人の近くにいて、せわをする●仕官・給仕・奉仕　❷ものごとをする●仕上げ・仕入れ・仕置き・仕送り・仕返し・仕掛け・仕方・仕切り・仕組み・仕事・仕立て・仕分け・仕業

なりたち

人のよこむきの形。

おのを立てておいた形で、王につかえる兵士のこと。

と

士

で

仕

王さまや目上の人の近くにいて、用をたしたり、つかえたりする人のことから〈つかえる・せわする〉といういみになった。

となえかた

仕　にんべんに（イをかいて）

仕　したをみじかく十一とかく

きを　つけよう　仕と　にている字…任

人(ひと)の部・7画
左右型／ノ(ななめぼう)

くん すむ　いとこは関西に**住**んでいる。
　　　　　湖のほとりの家に**住**む。
　　　すまう　祖父は都心の高級マンションに**住**まっている。
　　　　　先生は、どちらに**お住**まいですか。

おん ジュウ　友だちの**住所**を地図でさがす。
　　　　　住民の署名をあつめる。

いみ すむ・すみつく・すまい・すみか ● 住居・住所・住宅・住人・住民・安住・移住・衣食住・永住・居住・原住民・先住民・定住

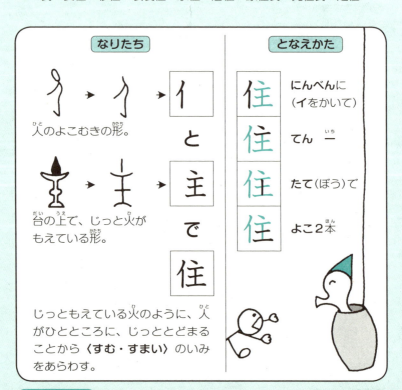

きを　つけよう　住と　にている字…往

人（ひと）の部・5画
左右型／ノ（ななめぼう）

くん かわる　姉に**代**わって、あいさつをする。
　　　かえる　二学期の音楽は、笛の実技をテストに**代**える。
　　　よ　　　明治天皇の**御代**に、時代は大きくかわった。
　　　（しろ）　この年代物の時計は、たいした**代物**だ。
おん ダイ　　**時代**によって、ファッションはかわる。
　　　タイ　　給食当番を**交代**してもらう。

いみ ❶**かわる**●代行・代表・代名詞・代理・交代・名代　❷**ねだん**●代金・足代・地代　❸**ある人が主人である間**●神代・初代・世代・先祖代・先代　❹**じだい**●近代・現代・古代・時代　❺**年令のはんい**●十代

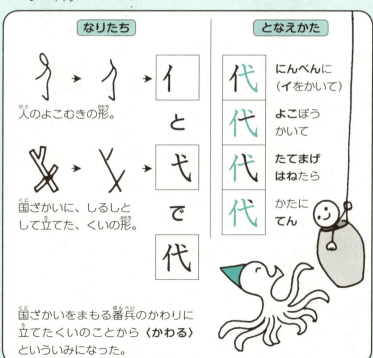

きを　つけよう　「**代**わる」は「**代**る」としない。

人（ひと）の部・5画
左右型／ノ（ななめぼう）

くん ほか　目当ての本が売りきれていたので、他の書店にいく。
　　　　他に意見のある人はいますか。

おん タ　他人にたよらず、自分の力でやりとおす。
　　　　これはないしょだから、むやみに他言しないようにする。

いみ ほか・よそ・ちがった・べつの　●他意・他界・他国・他言・他殺・他事・他日・他人・他年・他方・他面・他力・他流試合・自他

なりたち

人のよこむきの形。 → イ

「まむし」という、毒をもつへびの形。 → 也

で → 他

人にとって、まむしはいやないきもので、「ほかへいけ」というきもちになることから〈ほか・よそ・べつの〉などのいみをあらわす。

となえかた

にんべんに（イをかいて）

よこまげはねて

たてかいて

その左がわにたてまげはねる

さんこう　他の反対の意味の字…自

人(ひと)の部・8画
左右型／ノ(ななめぼう)

くん つかう　水道の水は、たいせつに使う。
きょうは、おこづかいを使いすぎてしまった。
おん シ　赤ちゃんは、みんな天使のようにかわいい。

いみ ❶つかう・もちいる・ついやす●使役・使途・使用・行使　❷つかいの人・かわりにいく人●使者・使節・使徒・使命・大使・天使・特使

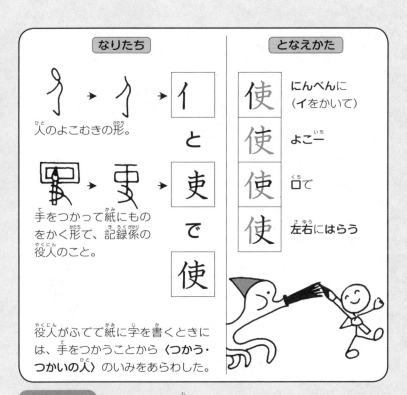

なりたち

人のよこむきの形。

手をつかって紙にものをかく形で、記録係の役人のこと。

役人がふでで紙に字を書くときには、手をつかうことから〈つかう・つかいの人〉のいみをあらわした。

となえかた

にんべんに
(イをかいて)

よこ一

口で

左右にはらう

きを　つけよう　使と　にている字…便

人（ひと）の部・9画
左右型／ノ（ななめぼう）

- **くん** かかる　公害は命に**係**る重大な問題だ。
  - かかり　館内では**係員**の案内にしたがう。
  　　　　二学期は給食の**係**になった。
- **おん** ケイ　親子の**関係**ほど深いつながりは、ほかにない。

いみ
① つながりをもつ・かかわる・かかる ● **係**り結び・**係**数・関**係**
② つなぐ・つながり ● **係**船・**係**留・連**係**
③ かかり・しごとをうけもつ人 ● **係**員・**係**長・案内**係**・受付**係**

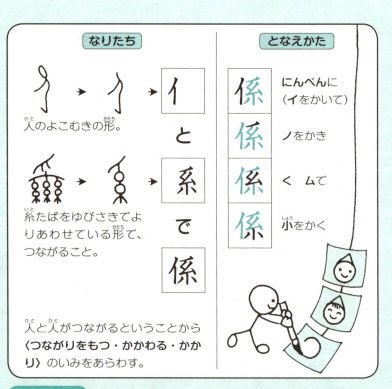

なりたち

人のよこむきの形。 → イ

糸たばをゆびさきでよりあわせている形で、つながること。 → 糸

イ と 系 で 係

人と人がつながるということから〈つながりをもつ・かかわる・かかり〉のいみをあらわす。

となえかた

にんべんに（イをかいて）
ノをかき
く ムで
小をかく

きを　つけよう　係の「系」を「糸」としない。

人(ひと)の部・10画
左右型／ノ(ななめぼう)

くん ――
おん バイ　三百倍の倍率のけんび鏡を買うことにした。
　　　　十年間で、市の人口は倍増した。
　　　　二と三の最小公倍数は、六だ。

いみ ❶同じ数を二ばいにすること●倍加・倍額・倍増　❷同じ数を何度かくわえる・ふえる・ふやす●倍数・倍率・公倍数・三倍・数倍

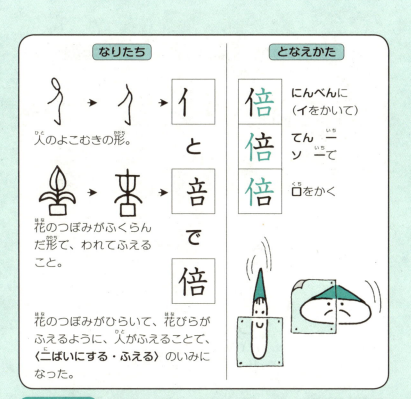

なりたち

人のよこむきの形。

花のつぼみがふくらんだ形で、われてふえること。

→ イ と 音 で 倍

花のつぼみがひらいて、花びらがふえるように、人がふえることで、〈二ばいにする・ふえる〉のいみになった。

となえかた

倍　にんべんに（イをかいて）
倍　てん一ソーで
倍　口をかく

きを　つけよう　倍の「咅」を「音」としない。

身(み)の部・7画
□ その他型／ノ(ななめぼう)

くん み　劇では、せりふだけでなく、表情や**身**振りに気をくばる。
おん シン　一年間で**身**長が五センチのびた。
　　　　水泳は**全身**をつかう運動だ。

いみ ❶**からだ**●身軽・身振り・身体・身長・身命・心身・全身・長身・等身大・病身　❷**じぶん**●身内・身近・身元・身寄り・身辺・一身・自身・出身・単身・独身　❸**にく**●切り身・白身　❹**いのち**●献身・終身　❺**身分・財産**●身上・身上・身代・身分

なりたち

子どもをみごもり、大きなおなかをして歩いている形。

おなかに赤ちゃんができると、からだをだいじにいたわることから〈からだ〉のいみをあらわす。

となえかた

 ノにたてぼうで

 かぎながくはね

 よこ　よこ　もちあげ

 おおきくノ

クイズ　身から出た□□に入るのは？　①あせ ②ごみ ③さび

女(おんな)の部・8画
左右型／ノ(ななめぼう)

- **くん** はじめる　きょうから日記を付け始める。
  - はじまる　あさってから新学期が始まる。
- **おん** シ　野球の試合が、一時間おくれて開始された。
  - 始発電車に乗って、山登りにいく。

- **いみ** はじめる・はじめ ● 始球式・始業式・始終・始祖・始動・始発・始末・開始・原始・年始

さんこう　始の反対の意味の字…終

女(おんな)の部・8画
上下型／ノ(ななめぼう)

- **くん** ゆだねる　意見が同数にわれたので、議長に判断を**委**ねる。
- **おん** イ　　　交渉の全権は、外務大臣に**委任**された。
  　　　　　　　イベントの**委細**は、五月に発表される。
  　　　　　　　姉は五年生になって、**放送委員会**に入った。

いみ ❶**まかせる・かわってしごとをしてもらう**●委員・委譲・委嘱・委託・委任　❷**くわしい**●委曲・委細

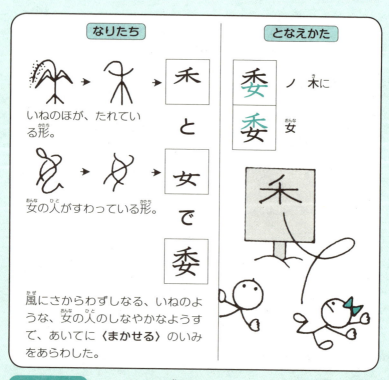

なりたち

いねのほが、たれている形。

女の人がすわっている形。

禾 と 女 で 委

風にさからわずしなる、いねのような、女の人のしなやかなようすで、あいてに〈まかせる〉のいみをあらわした。

となえかた

委
委

ノ 禾に
女

きを つけよう　委と にている字…季

肉(にく)の部・8画
上下型／丶(てん)

くん そだつ　　お日さまをさんさんとあびて、木がりっぱに育つ。
　　　 そだてる　自主性のある子どもを育てる。
　　　 はぐくむ　大自然が育む、おいしいわき水。
おん イク　　　国をあげて、オリンピック選手を育成する。

いみ ❶そだてる・やしなう●育英・育児・育成・教育・飼育・体育・知育・徳育・保育・養育　❷そだつ・大きくなる●生育・成育・発育

なりたち

子どものさかさまの形。

肉の形。

さかさまの子どもは、うまれたばかりの子どもをあらわし、その子どもをじょうぶにそだてるために、肉をたべさせてやしなうことから〈そだてる〉のいみをあらわす。

となえかた

育　てん 一
育　ムをかき
育　月をかく

きを　つけよう　「育む」は「育くむ」としない。

27

欠(あくび)の部・6画
左右型／丶(てん)

くん つぐ　委員長に**次ぐ**重要な役目をおおせつかった。
　　　 つぎ　図書館で、**次次**に本をかりて読む。
おん ジ　　高田くんは長男で、ぼくは**次男**だ。
　　　（シ）　すわっていると、足が**次第**につめたくなる。

いみ ❶あとにつづく・順序をつける・順番●次次・次第・順次・席次・年次・目次　❷つぎ・つぎの●次位・次回・次官・次期・次点・次男　❸回数や度数をあらわすことば●次元・一次試験・第二次世界大戦・二次会

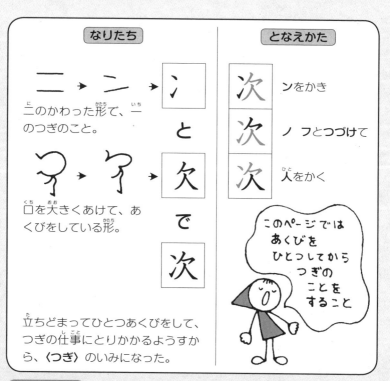

つかいわけ　富士山に**次ぐ**高さの山。はずれた骨を**接ぐ**。

《漢字なぞなぞ》

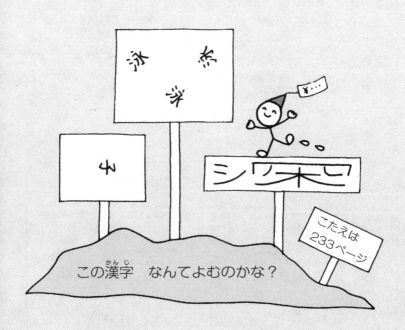

この漢字　なんてよむのかな？

こたえは233ページ

なぞなぞの島だよ。
わかるかしら？

尸（しかばね）の部・7画
上下型／一（よこぼう）

くん ——
おん キョク　郵便**局**で、はがきと切手を買った。
全員で力をあわせて、むずかしい**局**面をのりきる。

いみ ❶全体のなかのかぎられた一部分●**局**所・**局**地・**局**部　❷役所や会社のしくみで、しごとの一部をうけもつ単位●**局**長・支**局**・事務**局**・薬**局**・郵便**局**　❸ものごとの終わり●結**局**・終**局**　❹ものごとのなりゆき●**局**面・時**局**・政**局**・大**局**・対**局**

きを　つけよう　局の「尸」を「戸」としない。

尸（しかばね）の部・9画
上下型／一（よこぼう）

- **くん** や　通りぞいにある赤い屋根が、わたしの家だ。
　　　　かわいい犬小屋をつくった。
- **おん** オク　屋上から景色をながめる。
　　　　古い家屋をリフォームして、すんでいる。

- **いみ** ❶いえ・すまい●屋敷・小屋・屋外・屋内・家屋・社屋・部屋・母屋・数寄屋・数奇屋　❷やね●屋台・屋根・屋上　❸商店や職業などの名につける語●屋号・伊勢屋・本屋・山形屋・よろず屋・八百屋
- ●**特別な読み**…部屋・八百屋・(母屋・数寄屋・数奇屋)

なりたち

人がよこたわっている形。
尸 と

鳥がとんできて地面についた形で、やってくること。
至 で

屋

人がきてとどまり、ねとまりすることで〈いえ・すまい〉のいみになった。

となえかた

屋　コをかいて
屋　ノをつけたら
屋　一　ムとつづけて
屋　土をかく

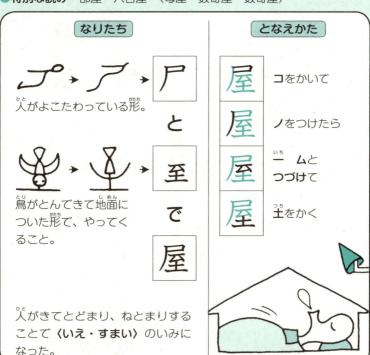

きを　つけよう　屋の「土」を「士」としない。

疒(やまいだれ)の部・10画
□ その他型／丶(てん)

- **くん** やまい　心の**病**は、体にも変化をひきおこす。
- （やむ）　母は、ささいなことでも、すぐに気に**病む**。
- **おん** ビョウ　くすりをのんで、**病気**がなおる。
  病院に短期で入院する。
- （ヘイ）　この保険は、成人の**三大疾病**をカバーしている。

いみ やまい・びょうき● 病み上がり・病因・病院・病気・病後・病死・病室・病者・病床・病身・病人・病名・看病・急病・仮病・疾病・大病・熱病

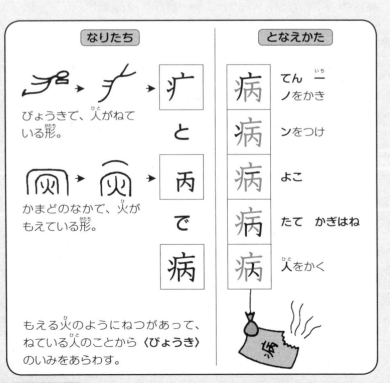

32　きを つけよう　「**病**」は「病い」としない。

食(しょく)の部・12画
左右型／ノ(ななめぼう)

- **くん** のむ　ジュースではなく、つめたい水を**飲み**たい。
　　　　かぜをひいたので、くすりを**飲む**。
- **おん** イン　この水は、**飲料水**としてもよい。
　　　　父は、五十才になったら**暴飲暴食**はしないといっている。

- **いみ** ❶のむ・のみもの● 飲み薬・飲み水・飲み物・がぶ飲み・飲酒・飲食・飲用・飲料水・牛飲馬食・痛飲・暴飲暴食　❷こらえる● 飲泣

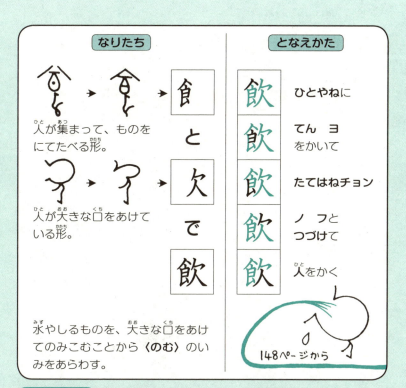

なりたち

人が集まって、ものをにてたべる形。

人が大きな口をあけている形。

食 と 欠 で 飲

水やしるものを、大きな口をあけてのみこむことから〈のむ〉のいみをあらわす。

となえかた

飲　ひとやねに
飲　てん ヨ をかいて
飲　たてはねチョン
飲　ノ フと つづけて
飲　人をかく

148ページから

クイズ　牛飲□食　□に入るのは？　①馬　②牛　③犬

面(めん)の部・9画
□その他型／一(よこぼう)

くん (おも) 兄の顔には、祖父の面影がある。
(おもて) 春の日ざしで、池の面がきらきら光っている。
(つら) 面の皮があつい。
おん メン 節分でつかう、おにの面をつくる。
面とむかって注意する。

いみ ❶おめん・かおにつけるかぶりもの●仮面・能面 ❷かお●面影・面会・面接・面前・顔面・洗面・対面 ❸そとがわ・もののおもて●面積・画面・地面・水面・表面・平面 ❹むき・ほうこう●正面・方面

●特別な読み…真面目

なりたち

顔におめんをかぶった形。

顔に、おめんをかぶった形から、〈おめん・かお・おもて〉などのいみになった。

となえかた

面 よこー ノ
面 たて かぎ
面 たて たて
面 よこ2本
面 そしてさいごにそことじる

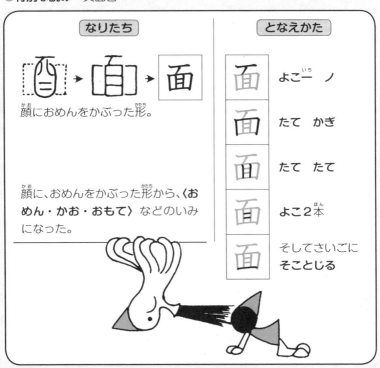

クイズ □角□面 □に入る同じ漢数字は？

目（め）の部・10画
上下型／一（よこぼう）

- **くん** ま　帰宅したら、**真**っ先に宿題をやる。
　　　　　真顔でうそをつくのは、よくない。
- **おん** シン　新聞は、**真**実を伝えなければならない。
　　　　　この自画像は**真**にせまっていて、しゃべりだしそうだ。

- **いみ** ❶まこと・うそいつわりのない●**真**上・**真**顔・**真**心・**真**下・**真**っ先・**真**夏・**真**冬・**真**水・**真**意・**真**価・**真**剣・**真**実・**真**情・**真**相・**真**理・写**真**・**真**っ赤・**真**っ青・**真**面目　❷しぜんのまま・まじりけのない●**真**空・**真**性・純**真**・天**真**
- ●特別な読み…**真**面目・**真**っ赤・**真**っ青

なりたち	となえかた

人の頭をさかさまにかいた形。

人の頭のさかさまの形は、死んだことをあらわし、人が死ねばもうかわらないということから〈まこと〉のいみをあらわす。

 十の

 目に

 よこ一かいたら

 八をつける

世界中のみんなのところへしゅっぱーつ

きを つけよう　真の「目」を「日」としない。

頁（おおがい）の部・18画
□ その他型／｜（たてぼう）

くん ——
おん ダイ

自由研究の**表題**を考える。
宿題が多くて、いやになる。
テストの**問題**がむずかしくて、まったくとけない。

いみ ❶だい・みだし ●題字・題名・題目・演題・表題・副題 ❷話や文章の中心になることがら ●題材・議題・主題・本題・話題 ❸問い・問題 ●課題・宿題・出題・難題・命題・問題・例題

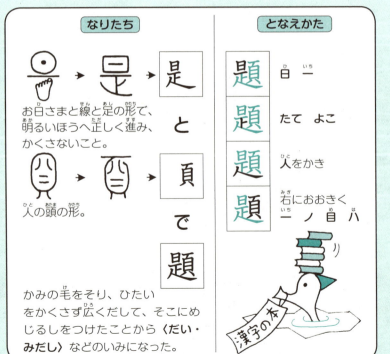

36　きを つけよう　題の「貝」を「見」としない。

目(め)の部・9画
左右型／一(よこぼう)

くん あい　相手の立場を思いやる。
きみは、どんなときもたよりになる、ぼくの相棒だ。

おん ソウ　事件の真相を知って、おどろいた。
（ショウ）記者たちが、首相の話をきく。

いみ ❶ようす・すがた・かたち●相応・相場・真相・世相・手相・人相・様相　❷たがいに・いっしょに●相手・相棒・相関・相互・相似・相対・相談・相当　❸つぎつぎに、うけつぐ●相続・相伝
❹たすける人・大臣●首相・外相

●**特別な読み**…(相撲)

なりたち	となえかた
木の形。→木→木　と　目の形。→目→目　で　相	相 相　木に　目

木のしげるようすをみることから、ものの形をみて、よしあしをみわけることをあらわし〈ようす・すがた・かたち〉のいみになった。

きを　つけよう　相の「目」を「且」としない。

口（くち）の部・11画
その他型／｜（たてぼう）

くん とう　あの行動は正しかったのか、自分の心に**問**う。
　　　 とい　 人はなぜ生きるか、という**問**いにこたえるのは、むずかしい。
　　　 とん　 下町の**問**屋街へ、買いものにでかける。
おん モン　 この**問**題はむずかしい。
　　　　　　 病気の友人の入院先を訪**問**する。

いみ ❶**きく・たずねる**● 問い合わせ・問題・問答・学問・疑問・質問・難問　❷**おとずれる**● 慰問・弔問・訪問

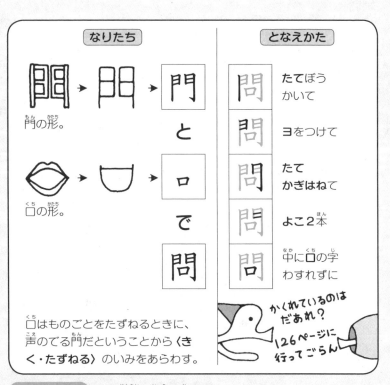

なりたち

門の形。
口の形。

門 と 口 で 問

口はものごとをたずねるときに、声のでる門だということから〈きく・たずねる〉のいみをあらわす。

となえかた

問　たてぼうかいて
問　ヨをつけて
問　たてかぎはねて
問　よこ2本
問　中に口の字わすれずに

かくれているのはだあれ？
126ページに行ってごらん

さんこう　問の反対の意味の字…答

歯(は)の部・12画
□ その他型／1 (たてぼう)

くん は　朝夕の食事のあとには、歯をみがこう。
のこぎりの歯をとぐことを、目立てという。
おん シ　ぬけそうな乳歯が、ぐらぐらしている。

いみ ❶ものをかみくだく役をするもの・は● 歯痛(歯痛)・歯並び・奥歯・前歯・虫歯・歯科・歯石・永久歯・犬歯・乳歯・抜歯　❷ぎざぎざにならんだもの● 歯車

なりたち	となえかた

 口をあけて、はのみえている形。	たて　よこ
	  たて　よこ
	  米をかき
	  たてまげたてではこをかく

このかたちから、人や動物などの、ものをかむ〈は〉のいみをあらわす。

クイズ　歯の□が合わない　□に入るのは？　①根　②元　③先

口(くち)の部・9画
上下型／1(たてぼう)

くん しな　ショッピングモールでは、あらゆる**品物**を売っている。
　　　　　この絵の具は**品**がわるくて、かわくとひびわれる。

おん ヒン　サクラやアサガオは、**品種**の多い植物だ。

いみ
❶しな・しなもの● 品切れ・品定め・品物・品種・品目・商品
❷人やもののもっているかんじ● 品格・品行・品性・気品・下品・上品
❸くらい・等級● 品位・品質

なりたち

口が、みっつあつまった形。

口がみっつで、おおぜいの人のことだったが、そのいみがひろがって多くのものをあらわし〈しなもの〉などのいみになった。

となえかた

品	口 ひとつ
	左に ひとつ
	右 ひとつ

クイズ　天下□品　□に入るのは？　①一　②百　③千

口（くち）の部・5画
上下型／1（たてぼう）

- くん ——
- おん ゴウ　先生の**号令**で行進をはじめる。
　　　　青信号をたしかめて横断しよう。
　　　　整理券の**番号順**にならぶ。

- いみ
❶**大声でさけぶ・わめく**●号泣・号令・怒号　❷**しるし・あいず**　暗号・記号・信号　❸**なまえ・よび名**●国号・称号・年号・屋号
❹**順番をしめすことば**●号外・創刊号・番号

なりたち／となえかた

きを つけよう　号の「つ」は一筆で書く。

口（くち）の部・8画
左右型／1（たてぼう）

くん あじ　　このスープは味がよい。
　　あじわう　クラシック音楽の名曲を味わう。
おん ミ　　　秋の味覚といえば、くだものだ。
　　　　　　わたしの趣味は読書です。

いみ ❶あじ・あじわう●味付け・味覚・酸味・賞味・調味料・苦味・美味　❷あじわい・おもむき・おもしろみ●持ち味・味読・興味・趣味　❸なかま●味方・一味
●**特別な読み**…〈三味線〉

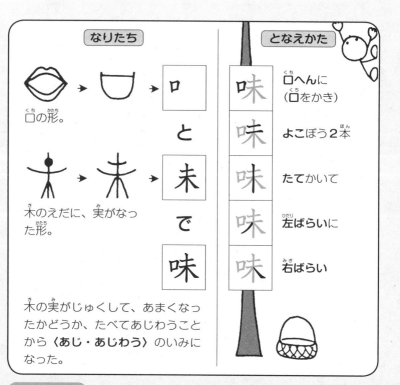

きを　つけよう　味の「未」を「末」としない。

口（くち）の部・8画
左右型／ノ（ななめぼう）

- **くん** （やわらぐ） 三月になって、寒さが和らぐ。
  - （やわらげる） マッサージは、いたみを和らげる。
  - （なごむ） あまいものを食べると、気分が和む。
  - （なごやか） 話し合いは、和やかにすすんだ。
- **おん** ワ 平和な世界を、きずいていこう。
  - （オ） 寺で和尚さんの話をきく。

いみ ❶なごやか・おだやか ●和気・温和・日和 ❷なかよくする ●和解・和合・和平・共和・不和・平和 ❸つりあう ●和音・和声・中和 ❹たし算のこたえ ●和・総和 ❺日本の ●和紙・和風・和服
●**特別な読み**…（日和・大和）

なりたち

いねのほが、たれている形。

口の形で、よろこびを口にすること。

いねがよくみのり、よろこびあうことから〈なごやか・おだやか〉のいみになった。

となえかた

ノ 禾とかき
（のぎへんに）

右に たて かぎ
よこ 一ふさぐ

きを つけよう 「和らぐ」「和む」は「和わらぐ」「和ごむ」としない。

口（くち）の部・8画
上下型／ノ（ななめぼう）

くん いのち　レスキュー隊は、そうなんした人を**命懸け**で助けた。
おん メイ　　消防士たちに、出動の**命令**がでる。
　　　　　　　植物は、水と空気と太陽で**生命**を保つ。
　（ミョウ）　近ごろは、人の**寿命**がだいぶのびた。

いみ ❶いいつける・いいつけ●命令・君命・勅命・任命　❷めぐりあわせ●運命・宿命・天命　❸名づける●命名　❹いのち●命懸け・命中・一命・寿命・助命・人命・生命

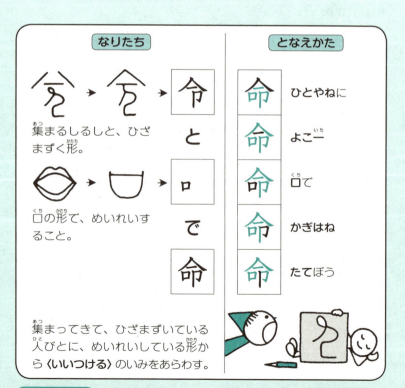

クイズ　絶□絶命　□に入るのは？　①対　②体　③待

口（くち）の部・11画
その他型／丶（てん）

くん（あきなう）　おじさんは、雑貨を商う店を経営している。
おん ショウ　日曜日の商店街は、たくさんの人でにぎわう。
　　　　　　商業は、交通の便利な土地に発達する。

いみ ❶ものを売ったり買ったりする●商業・商魂・商才・商社・商談・商店・商人・商売・商品・商法・商用・行商・小売商・貿易商
❷割り算のこたえ●商

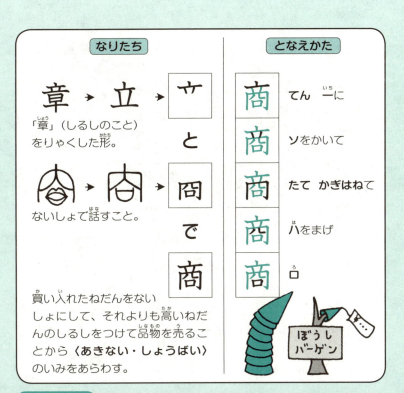

なりたち

章 ▶ 立 ▶ 「立」
「章」（しるしのこと）をりゃくした形。

▶ ▶ 「冂」 と 「冂」 で 商

ないしょで話すこと。

買い入れたねだんをないしょにして、それよりも高いねだんのしるしをつけて品物を売ることから〈あきない・しょうばい〉のいみをあらわす。

となえかた

商
商
商
商
商

てん 一に
ソをかいて
たて かぎはねて
ハをまげ
口

きを　つけよう　「商う」は「商なう」としない。

心(こころ)の部・10画
上下型／ノ(ななめぼう)

くん いき　姉が、大きなため息をつく。
　　　　　宿題がおわり、一息つく。
おん ソク　はたらきすぎたので、休息をとる。
　　　　　この湖には、カモが生息する。

いみ ❶いき・いきをする●息切れ・ため息・鼻息・一息・ぜん息・窒息・息吹　❷生活する・いきる●消息・生息　❸やすむ●安息・休息　❹こども・むすこ●息女・子息・令息・息子　❺ふえる・ふえるもの●利息
●特別な読み…(息吹・息子)

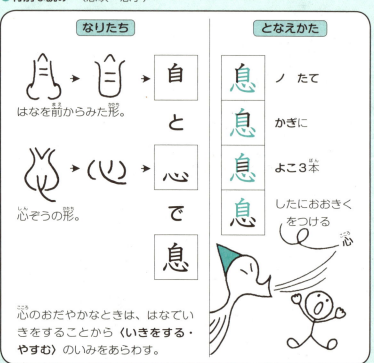

きを　つけよう　　息の「自」を「白」としない。

鼻（はな）の部・14画
上下型／ノ（ななめぼう）

くん はな 気分のいいときは、**鼻歌**がでる。
ホームランを打ったので、**鼻**が高い。
出鼻をくじかれ、しょげかえる。
おん （ビ） 耳がいたいので、**耳鼻科**の医院へいった。

いみ においをかいだり息をしたりするところ・はな ● 鼻息・鼻歌・鼻毛・鼻声・鼻先・鼻血・鼻水・出鼻・鼻孔・耳鼻科

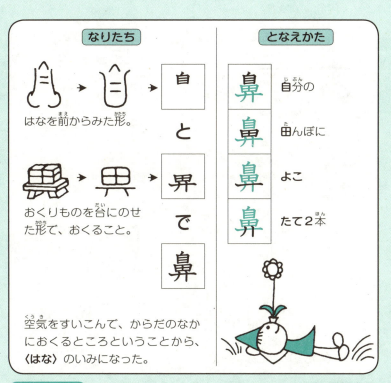

なりたち
はなを前からみた形。
おくりものを台にのせた形で、おくること。
自 と 畀 で 鼻
空気をすいこんで、からだのなかにおくるところということから、〈はな〉のいみになった。

となえかた
鼻 自分の
鼻 田んぼに
鼻 よこ
鼻 たて2本

クイズ 「鼻が高い」の意味は？ ①得意 ②美しい ③外国人

言(げん)の部・15画
左右型／ヽ(てん)

くん ──
おん ダン　旅行先を、みんなで**相談**してきめる。
　　　　　学期末に**個人面談**がある。
　　　　　夏の夜に、**怪談**をきく。

いみ はなす・かたる・はなし・ものがたり ● 談合・談笑・談判・談話・縁談・会談・怪談・歓談・講談・雑談・相談・対談・美談・筆談・冒険談・密談・面談・余談

なりたち

針は、心とおなじ音で心のこと。それと口で、おもうことをいうこと。

言 と

火をかさねた形で、さかんにもえているようす。

炎 で

談

火がさかんにもえるように、口からことばがどんどんでること、つまり〈かたる〉ことをあらわす。

となえかた

談　ごんべんに

談　火をふたつ

クイズ　談－火－言＋田＝？

言（げん）の部・13画
左右型／丶（てん）

くん ―
おん シ　父が**詩集**を出版した。
　　　　毎日一つ、**自由詩**を書く。

いみ し・心に感じたことをリズムをもった形式であらわしたもの　●詩歌（詩歌）・詩集・詩情・詩人・詩的・漢詩・交響詩・作詩・散文詩・自由詩・定型詩
●読み方に注意…「詩歌」のときは、「詩」は「しい」とも読む。

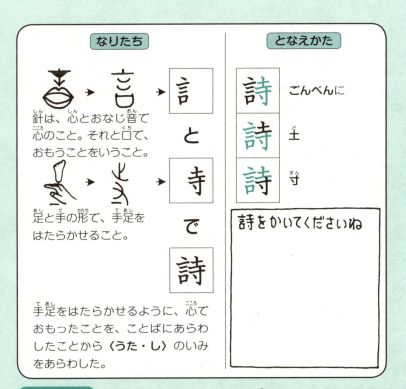

きを つけよう　詩の「寸」の「丶」をわすれずに書く。

言〈げん〉の部・15画
左右型／丶（てん）

くん しらべる　　国語辞典で、ことばの意味を調べる。
　（ととのう）　　夏休みの宿題の、工作の道具が調う。
　（ととのえる）　塩を入れて、スープの味を調える。
おん チョウ　　　かぜをひいて、調子がわるい。
　　　　　　　　　部屋に調和する家具。

いみ ❶ととのえる●調印・調整・調停・調和　❷ぐあい・ようす●好調・順調　❸しらべる●調査・調書　❹ふしまわし・音のしらべ●調子・短調・長調　❺つくる●調製・調達・調理　❻ならす●調教・調練

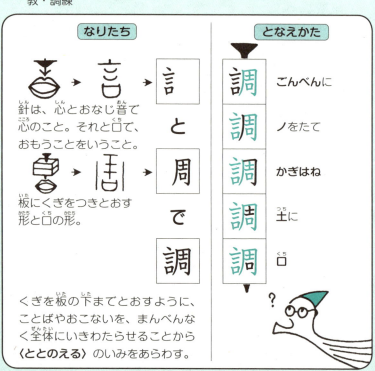

つかいわけ　料理の味を調える。つくえの上を整える。

八(はち)の部・8画
上下型／丨(たてぼう)

くん ——
おん グ　雨具の用意をして、でかける。
　　　　きのうから、体の具合がわるい。

いみ ❶そなえる・そなわる・そろっている●具体・具備　❷どうぐ・入れもの●雨具・家具・器具・教具・工具・寝具・道具・農具・仏具・文房具・防寒具・用具　❸ことこまかに・くわしく●具現・具申・敬具

なりたち

貝を両手でもった形。

両手でおかねやたからものなどをささげもつ形から〈そろっている・そなわる・どうぐ〉のいみをあらわす。

となえかた

 目をかいて

 よこーひいて

 八をかく

クイズ　具＋十＝？

手(て)の部・7画
左右型／一(よこぼう)

くん なげる　父とボール投げをして遊んだ。
　　　　　　空きかんを投げ捨てるのは、やめよう。
おん トウ　　クラス委員の選挙では、西田君に投票した。
　　　　　　祖母は手術ではなく、投薬で治療することになった。

いみ ❶なげる・なげうつ・なげいれる　●投下・投球・投手・投書・投石・投票・投網　❷つぎこむ・あたえる　●投資・投入・投薬・投与
●特別な読み…(投網)

なりたち

人(ひと)の手(て)の形(かたち)。

と

えの長(なが)いほこを手(て)にもつ形(かたち)。

で

投

ほこを手にもって、てきになげつけることから〈なげる・なげいれる〉のいみをあらわす。

となえかた

投　よこ　たてはねて

投　もちあげて　(てへんかき)

投　ルににたかたちに

投　フに右ばらい

クイズ　意□投合　□に入るのは？　①思　②気　③味

手(て)の部・5画
左右型／一(よこぼう)

くん うつ　バットでボールを**打つ**。
　　　　　名曲は心を**打つ**。
　　　　　テストの結果がわるかったので、しばらく勉強に**打ち込む**。
　　　　　かべに、くぎを**打ち付ける**。
おん ダ　ぼくらの野球チームは、**強打者**ぞろいだ。
　　　　　中学生になったら、吹奏楽部で**打楽器**をやりたい。

いみ ❶たたく・うつ ● 手打ち・抜き打ち・値打ち・打楽器・打球・打撃・打者・打診・打倒・打破・打率・安打・殴打・強打・好打・乱打　❷ほかのことばのまえにつけて、いみをつよめることば ● 打開・打算

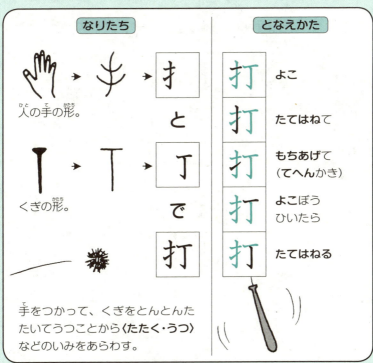

つかいわけ　心を**打つ**文章。かたきを**討つ**。

手(て)の部・9画
左右型／一(よこぼう)

- **くん** ひろう　公園でさいふを**拾**う。
  大通りでタクシーを**拾**う。
  防災グッズをそなえておいたおかげで、**命拾**いをした。
- **おん** （シュウ）　わたしが落とした定期券は、終点の駅で**拾得**された。
  （ジュウ）　領収書に「金参**拾**万円」と書いてあった。

- **いみ** ❶ひろう・とる ●拾い物・拾い読み・命拾い・拾遺・拾集・拾得・収拾　❷数字の「十」のかわりにつかう字 ●五拾円

つかいわけ　意見が対立して**収拾**がつかない。記念切手を**収集**する。

手(て)の部・9画
左右型／一(よこぼう)

くん ゆび 指先にささったとげが、なかなかとれない。
さす 時計の針が七時を指す。
先生は算数の授業で、必ずぼくを指す。
おん シ 警察官から交通安全指導をうける。
出発の時間を指示される。

いみ ❶ゆび●指折り・指切り・指先・小指・指圧・指紋 ❷さす・ゆびさす・さしず●指図・指揮・指示・指針・指数・指定・指導・指南・指名・指令
●送りがなに注意…「指図」は、「指し図」とは書かない。

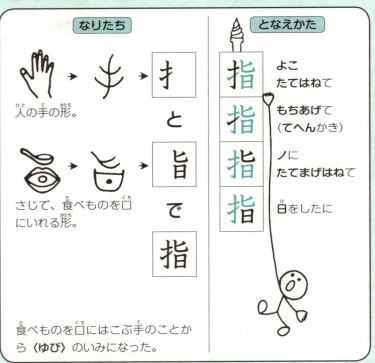

つかいわけ 北の方角を指す。武士が刀を差す。

手(て)の部・9画
左右型／一(よこぼう)

くん もつ 　大きなかばんを手に**持**つ。
　　　　　　　ハンカチを**持**っていない。
　　　　　　　ランドセルは、卒業まで六年間も**長持ち**した。
おん ジ 　　秋晴れは当分、**持続**しそうだ。
　　　　　　　べんとうは各自が**持参**する。

いみ ❶てにとる・もつ・にぎる ● 持ち主・持ち場・持ち物・持参・所持
　　　 ❷たもつ・もちつづける ● 長持ち・持久・持参・持続・持病・持論・維持・支持・保持

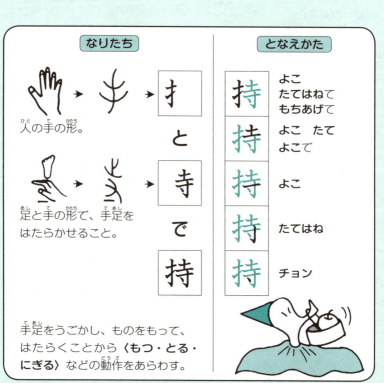

56　きを　つけよう　持と　にている字…特

寸（すん）の部・7画
左右型／ヽ（てん）

- **くん** ——
- **おん** タイ　母が、友だちと二十年ぶりに**対面**した。
  - （ツイ）お墓にキクの花を**一対**そなえる。

- **いみ**
  - ❶ **むかう・むかいあう**● 対応・対角線・対岸・対象・対談・対面・対話・応対・反対
  - ❷ **あいてになる**● 対局・対決・対戦・対立・敵対
  - ❸ **おうじる・こたえる**● 対外・対策・対処
  - ❹ **そろう・つりあう**● 対等・対句・一対

なりたち

楽器のかねをかける支柱と、右手の形。

二本の柱を手でそろえている形で、一対のもののことから〈むかいあう・そろう〉のいみをあらわす。

となえかた

対　てん　一に
対　メをかいて
対　よこ　たてはねて　てんつける

つかいわけ　性格が**対照**的だ。小学校高学年が**対象**。

又（また）の部・4画
□その他型／一（よこぼう）

くん そる　湿気で、庭においてある板が反った。
　　　 そらす　ラジオ体操で、体をうしろに反らす。
おん ハン　月光が、波に反射してかがやく。
　　　（ホン）明智光秀は、信長に謀反をおこした。
　　　（タン）フリーマーケットで、古めかしい反物を買う。

いみ ❶かえす・かえる・もどる●反映・反作用・反射・反転・反動・反応・反発　❷くりかえす●反省・反復　❸さからう・そむく●反感・反逆・反戦・反則・反乱・違反・背反・謀反・離反　❹あべこべ・ぎゃく●反撃・反語・反証・反対・反比例・反面・反論

なりたち

板を手でおしている形。

手でおされてそった板は、手をはなすと、もとにもどるところから〈もどる〉のいみをあらわす。

となえかた

 よこ一
 ノをかき
 フに
 右ばらい

きを　つけよう　反と　にている字…友

月(つき)の部・6画
□その他型／ノ(ななめぼう)

くん ある　おかねが有るかないかで、人を判断してはいけない。
おん ユウ　ルノワールは、世界的に有名な画家だ。
（ウ）　まちがいの有無を調べる。

いみ ❶ある● 有頂天・有無・有意義・有益・有害・有給・有限・有効・有罪・有志・有数・有毒・有能・有望・有名・有利・有料・有力
❷もっている・たもつ・もちもの● 共有・国有・固有名詞・私有・所有・占有・特有・保有　❸さらに・また● 三十有余年

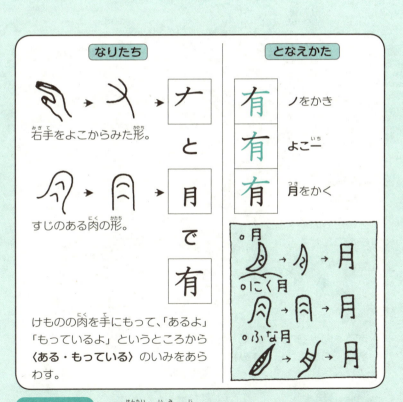

さんこう　有の反対の意味の字…無

口（くち）の部・7画
その他型／一（よこぼう）

くん きみ　君とぼくとでは、意見がすこしちがう。
　　　　城にとらわれた姫君をすくいだす。
おん クン　イギリスの女王は、十六か国の君主だ。
　　　　山本君と村上さん。

いみ ❶きみ・国をおさめる人 ● 君公・君主・君臣・君臨・国君・主君・名君　❷りっぱな人 ● 父君・母君・姫君・君子　❸友だちや目下の人をよぶときにつかうことば ● 君たち・貴君・諸君

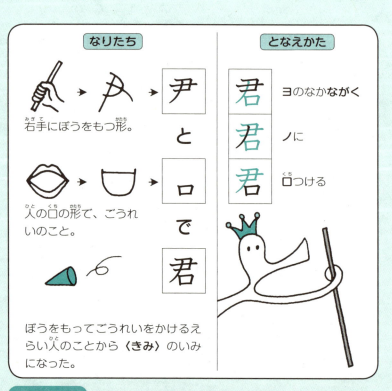

なりたち

右手にぼうをもつ形。

人の口の形で、ごうれいのこと。

尹 と 口 で 君

ぼうをもってごうれいをかけるえらい人のことから〈きみ〉のいみになった。

となえかた

君　ヨのなかながく
君　ノに
君　口つける

きを つけよう　君の「尹」を「尹」としない。

又（また）の部・8画
左右型／一（よこぼう）

くん とる　ミカンが木にたくさんなったので**取**る。
　　　　心の動きが、手に**取**るようにわかる。
おん シュ　事故現場を**取材**する。
　　　　海で貝を**採取**する。

いみ とる・**手にとる**・じぶんのものにする ● 取り合い・取り決め・取り組み（取組）・取り消し・取り付け・取り引き・受け取り・取材・取捨・取得・採取・奪取・聴取
● **送りがなに注意**…「取り組み」は「取組」と書く場合もある。

なりたち

耳の形。

右手をよこからみた形で、とること。

→ 取

むかしの中国で、てきをうちとったしるしに、耳をきりとったことから〈とる〉のいみになった。

となえかた

取　よこ　たて
取　よこ　よこ
取　もちあげて
取　たてぼう　かいたら
取　フに右ばらい

さんこう　取の反対の意味の字…捨

又（また）の部・8画
上下型／ノ（ななめぼう）

くん うける　とんできたボールを**受**ける。
　　　　　　　コンクールで賞を**受**ける。
　　　うかる　姉は、高校の入学試験に**受**かった。
おん ジュ　　行方不明の船からの電波を**受**信した。
　　　　　　　受験の季節がくる。

いみ うける・うけとる ●受け付け（受付）・受け取り・受け身・受け持ち・受け渡し・受験・受賞・受信・受胎・受託・受命・受理・受領・受話器・授受・拝受
●**送りがなに注意**…「受け付け」は「受付」と書く場合もある。

なりたち	となえかた
 ものをつまむ手の形と、ふねと、右手の形。 ふねではこんできた荷物を、ふねから岸へ、うけわたしをすることから〈うける〉のいみをあらわす。	ノ ッとつづけて ワをかいて かなのフかいたら 右ばらい

さんこう　受の反対の意味の字…授

┘(はねぼう)の部・8画
その他型／一(よこぼう)

- **くん** こと　父は、会社の**仕事**がいそがしい。
- **おん** ジ　寒くなると、**火事**がふえる。
  　　　おどろくような**大事件**がおこる。
- 　(ズ)　**好事家**のおじは、古い茶器を集めている。

いみ ❶こと・ことがら・できごと● 事柄・出来事・事件・事故・事項・事実・事情・事典・火事・記事・議事・好事家・雑事・世事・俗事・大事・珍事・農事・万事・仏事・返事・民事・用事　❷しごと・おこない● 仕事・事業・事務・私事・主事・知事

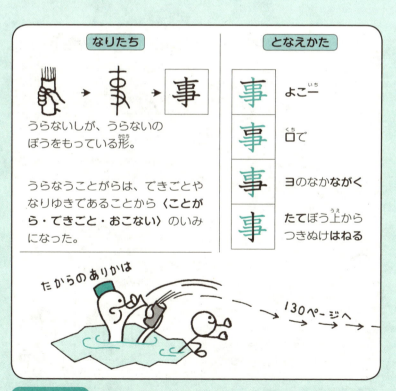

なりたち	となえかた
うらないしが、うらないのぼうをもっている形。うらなうことがらは、できごとやなりゆきであることから〈ことがら・できごと・おこない〉のいみになった。	事 よこ一 事 口で 事 ヨのなかながく 事 たてぼう上からつきぬけはねる

たからのありかは　130ページへ

きを　つけよう　事の「ヨ」を「ヨ」としない。

足(あし)の部・13画
左右型／l(たてぼう)

- **くん** じ 空が暗くなってきたので、家路をいそぐ。
- **おん** ロ 路上で遊ぶのは、あぶない。
  ぼくの家は、路地のつきあたりだ。

いみ ❶みち・とおるみち ●家路・山路・路地・路上・路傍・街路・空路・行路・航路・水路・線路・通路・道路・迷路・陸路 ❷方向・方面 ●路線・針路・進路・販路

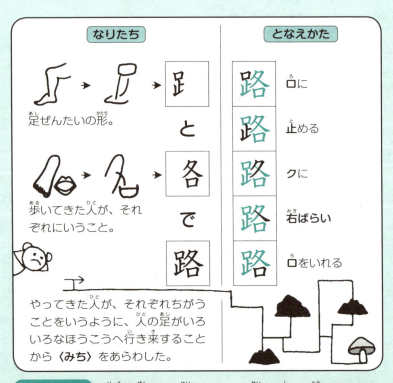

クイズ 理路□然 □に入るのは？ ①整 ②自 ③当

癶（はつがしら）の部・9画
上下型／一（よこぼう）

- **くん** ——
- **おん** ハツ　始発電車はすいている。
  妹は毎日のように、外で活発に遊ぶ。
  （ホツ）　発作的にケーキが食べたくなる。

いみ
❶ でる・だす・でかける・たつ・ゆく● 発音・発芽・発言・発車・発声・発送・発着・発熱・活発・始発・出発　❷ うつ● 発射・発砲・連発　❸ おこる● 発生・発病・発作　❹ はじめる● 発刊・発売・発足（発足）　❺ あきらかにする● 発見・発表・発明　❻ さかんになる● 発育・発達・発展

なりたち	となえかた

両足の形。

とりいの形。

癶 と 兀 で 発

発	フに チョンつけて
発	右にチョン
発	右にはらって チョンつけて
発	よこぼう2本で
発	ひとあしつける

むかしは、遠くへ旅にでるとき、おまいりして、でかけたところから〈でかける〉のいみをあらわす。

さんこう　発の反対の意味の字…着

癶(はつがしら)の部・12画
上下型／一(よこぼう)

くん のぼる　プレーパークで木に登って遊ぶ。
おん トウ　劇の**登**場人物は二十人だ。
　　　　ト　　夏山の**登**山はきもちがよい。

いみ ❶**のぼる・たかいところにあがる** ● 登場・登壇・登頂・登用・登竜門・登山　❷**でかける** ● 登校・登庁・登城　❸**かきつける** ● 登記・登録

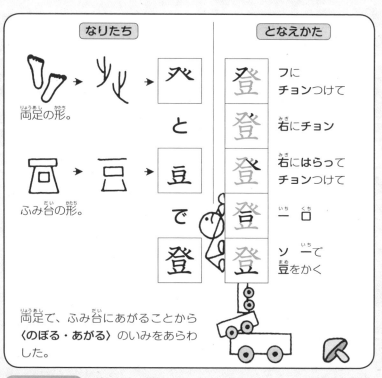

つかいわけ　校庭の木に**登**る。サケが川を**上**る。

走(はしる)の部・10画
□その他型／一(よこぼう)

くん おきる　だるまさんは、ころんでも、すぐ**起きる**。
　　 おこる　観客席から、われんばかりのはくしゅが**起こる**。
　　 おこす　運転手は、不注意で事故を**起こ**した。
おん キ　　 毎朝七時に**起床**する。
　　　　　　　選手は病気がなおり、**再起**をはたした。

いみ ❶おきる・たつ ●起居・起床・起立・決起　❷ものごとをはじめる ●起工・起草・起用・再起・発起人　❸おこり・はじまり・もと ●起因・起源・起点

なりたち

走っている人と足の形。
頭をもちあげたへびの形。
走と己で起

へびがきたので、ねていた人があわてておきあがり、走ってにげるところから〈おきる・たつ〉のいみになった。

となえかた

起　土に
起　たて　よこ
起　人をかき
起　コの字をかいて
起　たてまげはねる

つかいわけ　妹を朝六時に**起**こす。新しい会社を**興**す。

攵(のぶん)の部・16画
上下型／一(よこぼう)

くん ととのえる　ヘアスタイルをきちんと**整**える。
　　 ととのう　　出かけるしたくが**整**うまで、まってください。
おん セイ　　　　書棚の本をきれいに**整頓**する。
　　　　　　　　校庭に**整列**して、朝礼をおこなう。

いみ そろえる・ととのえる・きちんとした形にする　●整形・整数・整然・整地・整頓・整備・整理・整列・均整・修整・端整・調整

なりたち

木をたばねる形と、手にぼうをもつ形。

もくひょうをあらわす線と足の形で、正しいこと。

→ 敕 と 正 で 整

まきをたばねて、それをとんとんたたき、きちんと正しくそろえることから〈そろえる・ととのえる〉いみをあらわす。

となえかた

整　よこ　口
　　たてで
整　ハをかいて
整　ノ一と
　　つづけて
整　左右にはらい
整　したにおおきく
　　正をかく

つかいわけ　つくえの上を**整**える。料理の味を**調**える。

亻（ぎょうにんべん）の部・7画
左右型／ノ（ななめぼう）

- **くん** ——
- **おん** ヤク　庭そうじは、ぼくの**役**目だ。
  　　　　劇で**主役**を演じる。
- （**エキ**）大名は、城づくりに多くの農民を**使役**した。

いみ ❶やくめ・つとめ・地位● 役員・役所・役人・役場・役目・役割・重役・相談役　❷めいれいしてはたらかせること● 使役・懲役・服役・兵役・労役　❸俳優● 役者・主役・配役・一人二役・脇役

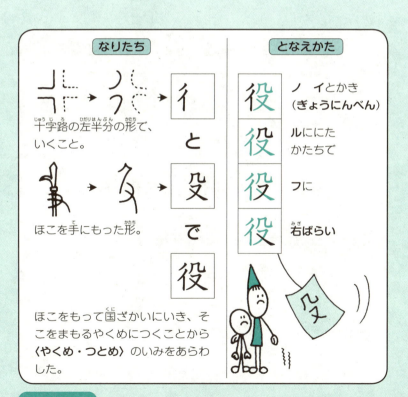

きを　つけよう　役の「殳」を「几」としない。

イ（ぎょうにんべん）の部・9画
左右型／ノ（ななめぼう）

くん まつ　遊びにくるおばあちゃんを、駅で**待**つ。
新しい家ができあがるのを**待**つ。

おん タイ　出張から帰る父のおみやげを期**待**する。
誕生日に友だちを家に招**待**した。

いみ ❶まつ・まちうける ● **待**合室・**待**ち時間・**待**機・**待**望・**待**命・期**待**
❷もてなす ● **待**遇・歓**待**・招**待**・接**待**・優**待**

●送りがなに注意…「**待**合室」は、「**待**ち合い室」とは書かない。

なりたち

 → イ と

十字路の左半分の形で、いくこと。

→ 寺 で

手足をうごかすことで、仕事をする役所のこと。

→ 待

役所に用事があっていったが、人がおおぜいで、順番をまったことから〈まつ〉いみになった。

となえかた

待　ノ イとかき（ぎょうにんべん）
待　よこ たて よこで
待　よこ
待　たてはね
待　チョン

きを つけよう　待の「寸」の「丶」をわすれずに書く。

辶(しんにょう)の部・7画 □その他型／一(よこぼう)

くん かえす　母にかりたおかねを**返す**。
　　　　　　恩をあだで**返す**、心ない人。
　　　　かえる　友人にかした本が**返**ってきた。
おん ヘン　サイズが大きいので**返品**した。
　　　　　　大きな声で**返事**をする。

いみ ❶**ひきかえす・もとにもどす**●返却・返金・返済・返上・返送・返品・返本　❷**こたえる・かえし**●返事・返信・返電・返答・返杯・返礼

つかいわけ　わすれ物が手元に**返**る。四時に家に**帰**る。

辶(しん(にょう))の部・9画
□ その他型／ノ(ななめぼう)

くん おう　家の中に入ってきたアリを追い払う。
　　　　　弟が、おかあさんのあとを泣きながら追う。

おん ツイ　犯人を追跡する刑事と、それを取材する新聞記者。
　　　　　国王が反逆者を追放する。

いみ ❶おいかける・あとをおう ● 追い風・深追い・追及・追求・追従・追跡・急追　❷おいはらう ● 追撃・追放　❸あとからもういちど・つけくわえる ● 追加・追記・追試験・追伸・追訴　❹むかしにさかのぼる ● 追憶・追想・追慕

なりたち

長 → 𠂤 → 𠂤
がけのだんそうの形から、おかのこと。

と

䇂 → 辵 → 辶
道と足の形で、いくこと。

で

追

おかのほうへにげていった人を、おいかけていくことから〈おいかける・おう〉のいみをあらわす。

となえかた

追　ノ　たて
追　コ　コで
追　しんにょうつける

つかいわけ　真理を追究する。幸福を追求する。

え(しんにょう)の部・9画
☐ その他型／丶(てん)

くん おくる　たのしく毎日を送ることがたいせつだ。
　　　　親せきに荷物を送る。
おん ソウ　友人が転校するので、送別会をした。
　　　　校内放送で、わたしのリクエストした曲がかかった。

いみ ❶人をおくる・みおくる● 送迎・送別・歓送　❷とどける・ものを
おくる・はこぶ● 送り先・送金・送信・送電・送付・送料・運送・
回送・急送・転送・発送・返送・放送・郵送・輸送

なりたち

両手できねをもつ形。
と
道と足の形で、いくこと。
で
送

主人のあとを、ものをもってついていくことから〈おくる・とどける〉のいみをあらわす。

となえかた

送　ソをかいて
送　よこぼう2本
送　人をかき
送　左におおきくしんにょうつける

きを　つけよう　「送る」は「送くる」としない。

辶(しんにょう)の部・11画
□その他型／ノ(ななめぼう)

くん すすむ　　大通りを北にむかって**進む**と、会場につく。
　　　すすめる　勉強をすこしでも先に**進める**。
おん シン　　　リズムにあわせて、グラウンドを**行進**する。

いみ ❶**すすむ・すすめる**●進行・進出・進入・進路・行進・推進・前進・促進・突進　❷**のぼる・あがる・よくなる**●進化・進学・進級・進歩・昇進・先進・増進　❸**おくる・さしあげる**●進上・進呈・進物・寄進

なりたち

おのみじかい鳥の形。

道と足の形で、いくこと。

隹 と 辶 で 進

ちいさな鳥がすばしっこく歩くことから〈すすむ〉のいみをあらわした。

となえかた

進　イをかいて

進　てん一たてで

進　よこ3本

進　左におおきくしんにょうつける

クイズ　日進月□　□に入るのは？　①歩　②走　③行

辶(しんにょう)の部・12画
□その他型／｜(たてぼう)

くん はこぶ　トラックで、山から木材を**運ぶ**。
　　　　　　　仕事が順調に**運ぶ**。
　　　　　　　司会の人が、話題をうまく**運ぶ**。
おん ウン　　荷物の**運送**を業者にたのむ。
　　　　　　　うらないに、きょうは**幸運**とでた。

いみ ❶はこぶ・うつす ● 運河・運送・運賃・運搬・運輸・海運・水運・陸運　❷うごく・うごかす ● 運営・運休・運行・運航・運転・運動・運筆・運用　❸うん・めぐりあわせ ● 運勢・運試し・運命・悪運・開運・幸運・不運

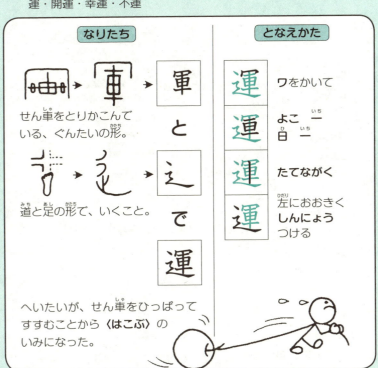

なりたち

せん車をとりかこんでいる、ぐんたいの形。
軍 と

道と足の形で、いくこと。
辶 で

運

へいたいが、せん車をひっぱってすすむことから〈はこぶ〉のいみになった。

となえかた

運　ワをかいて
運　よこ 一
　　　日 一
運　たてながく
運　左におおきく　しんにょう　つける

きを　つけよう　運の「⼇」を「⺌」としない。

辶(しんにょう)の部・12画
□その他型／丶(てん)

くん あそぶ　部屋で弟と遊ぶ。
　　　　　　年末年始は寒いので、野外で遊ぶ子どもが少ない。
おん ユウ　　遊園地で、メリーゴーラウンドにのる。
　　　（ユ）　きょう、ここに来たのは、物見遊山ではない。

いみ ❶あそぶ・あそび●遊園地・遊技・遊具・園遊会　❷うごきまわる・あちこちとうごく●遊泳・遊歩・遊牧　❸よそへでる・よその土地へいく●遊学・遊説・遊覧・遊山・外遊

なりたち	となえかた

はたの下で、子どもがあそんでいる形。

道と足の形で、いくこと。

旐 と 辶 で 遊

遊	てん 一に
遊	かぎまげ うちはね
遊	ノをつけて
遊	右にノ 一で 子をかいて
遊	左におおきく しんにょう つける

遊びにいってるすです

はたがひらひらしているところで、子どもがあっちへいきこっちへいきして〈あそぶ〉いみをあらわす。

きを　つけよう　「遊ぶ」は「遊そぶ」としない。

辶(しんにょう)の部・10画
□ その他型／一(よこぼう)

くん はやい　父は歩くのが、だれよりも**速い**。
　　はやめる　決断と行動のスピードを**速める**。
　　はやまる　レバーをたおすと、モーターの回転が**速まる**。
　　(**すみ**やか)　遊んだあとは、**速**やかに、かたづけをする。
おん ソク　　ポストに**速**達をだしにいく。
　　　　　　高速道路を利用して帰省する。

いみ はやい・はやさ● 速写・速成・速達・速度・速報・速記・速球・速攻・音速・快速・急速・高速・時速・敏速・風速

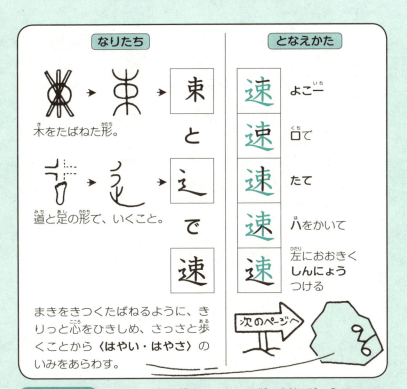

なりたち

木をたばねた形。

道と足の形で、いくこと。

束 と 辶 で 速

まきをきつくたばねるように、きりっと心をひきしめ、さっさと歩くことから〈はやい・はやさ〉のいみをあらわす。

となえかた

速　よこ一
速　口で
速　たて
速　ハをかいて
速　左におおきくしんにょうつける

次のページへ

つかいわけ　チーターは足が**速い**。いつもより**早い**時間に家を出る。

77

心(こころ)の部・9画
上下型／ノ(ななめぼう)

くん いそぐ　雨がふってきたので、急いで歩く。
夏休みの自由研究の完成を急ぐ。

おん キュウ　キャンセルするときは、至急、連絡をする。
救急車で病院にはこばれる。

いみ ❶いそぐ・いそぎの・はやい●急ぎ足・急行・急降下・急進・急送・急速・急報・急務・急用・応急・火急・救急・至急・早急・特急　❷はげしい・とつぜん・にわか●急激・急死・急性・急病・急変・急流

なりたち

うしろの人の手が、前の人にとどく形。

心ぞうの形で、心のこと。

前の人をつかまえようと、せかせかする気持ちのことから〈いそぐ・いそぎの〉のいみをあらわす。

となえかた

 ク
 ヨ
 心

きを　つけよう　急の「ヨ」を「ヨ」としない。

心（こころ）の部・11画
上下型／一（よこぼう）

くん わるい　あの子はちょっと、いじが悪い。
　　　　　　　自転車のギアの調子が悪い。
おん アク　わたしは、この世の中に悪人はいないと思う。
　　（オ）　かぜをひいて、朝から悪寒がする。

いみ ❶わるい・ただしくない● 悪気・悪者・意地悪・悪意・悪運・悪事・悪質・悪女・悪性・悪党・悪人・悪魔・悪名・悪役・悪友・悪例・悪化　❷いやな● 悪感情・悪寒　❸にくむ・きらう● 悪態・悪夢・嫌悪・憎悪

なりたち

まがりくねった道の形。

と

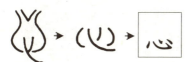
心ぞうの形で、心のこと。

で

まがりくねった心は、みにくい心なので〈わるい・いやな〉といういみをあらわす。

となえかた

悪　よこぼうに
悪　ひらたい口で
悪　たて2本
悪　よこぼうひいて
悪　心をしたに

クイズ　悪事□里を走る　□に入るのは？　①百　②千　③万

心（こころ）の部・12画
上下型／ノ（ななめぼう）

くん かなしい　かわいがっていた犬が死んで、とても**悲**しい。
　　　 かなしむ　転校する友だちとの別れを**悲**しむ。
おん ヒ　　　　薬物の乱用は、思わぬ**悲**劇を生む。

いみ ❶**かなしい・かなしむ**●悲哀・悲運・悲歌・悲観・悲劇・悲惨・悲壮・悲痛・悲報・悲鳴・悲話　❷**めぐみぶかい・あわれみの心**●悲願・慈悲

なりたち

ひろげた鳥のはねが、反対むきになること。

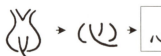

心ぞうの形で、心のこと。

あいての人と気持ちがうまくあわず、心をいためることから〈かなしい〉のいみをあらわす。

となえかた

 たてたノに
悲 よこぼう3本
悲 たてかいて
悲 またよこ3本
悲 心をしたに

さんこう　悲の反対の意味の字…喜

心(こころ)の部・13画
上下型／ノ(ななめぼう)

くん ——
おん カン　**感心**なおこないだと、先生にほめられた。
　　　　遠足の**感想文**を書いた。
　　　　ネコは、**敏感**な動物だ。
　　　　話題の映画をみて、**感動**した。

いみ ❶**かんじる・心がうごく**●感覚・感激・感光・感謝・感傷・感情・感触・感心・感性・感想・感電・感度・感動・音感・快感・共感・好感・五感・色感・実感・直感・同感・反感・敏感・予感　❷**そまる・かかる**●感化・感染・感冒

なりたち

まさかりの形と、口の形。

心ぞうの形で、心のこと。

あいての口をふうじるために武器でおどしショックをあたえることから、〈**かんじる・心がうごく**〉のいみになった。

となえかた

 たてたノに

 よこぼうひいて

 一と口

 たすきにてんで

 心をしたに

つかいわけ　兄の勇気に**感心**する。美術に**関心**がある。

心(こころ)の部・13画
上下型／丶(てん)

くん ——
おん イ　文章の意味が、よくわからない。
あしたの遠足の用意をすませた。
すべらないように注意して、丸木橋をわたる。

いみ ❶おもう・かんがえる・きもち●意外・意見・意志・意思・意地・意識・意図・意欲・悪意・敬意・決意・故意・真意・誠意・善意・注意・得意・任意・熱意・不意・用意・意気地　❷わけ・いみ●意義・意味・意訳・大意・文意
●**特別な読み**…(意気地)

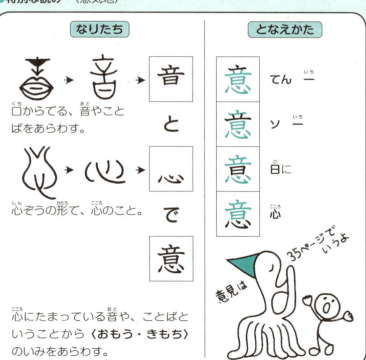

クイズ・　意味□長　□に入るのは？　①身　②深　③信

心(こころ)の部・13画
上下型／一(よこぼう)

くん ——
おん ソウ　映画の感想をのべあう。
　　　　理想と現実とは、ずいぶんちがう。
　　　　校舎の火事を想定して、ひなん訓練をする。
　（ソ）　主人公は都会に愛想をつかして、いなかに帰った。

いみ おもう・おもい・考え・けいかく　●想起・想像・想定・想念・愛想(愛想)・回想・感想・空想・構想・思想・着想・追想・夢想・予想・理想・連想

木と目で
木にのぼれば遠くまでよくみえるということ。

心ぞうの形で、心のこと。

木にのぼって遠くまでよくみて、ようすを知ろうとするように、ものごとを心のなかでじゅうぶん深く考えることで〈おもう〉いみをあらわす。

想　木に
想　目をつけて
想　心をしたに

きを　つけよう　想の「目」を「且」としない。

攵(のぶん)の部・8画
左右型／丶(てん)

くん はなす　　小鳥をかごから部屋の中へ放す。
　　　 はなつ　　まとにむかって矢を放つ。
　　　 はなれる　いつのまにか、犬がくさりを放れる。
　　　 ほうる　　ボールを思いきり遠くへ放る。
おん ホウ　　　夏休みは、学校のプールを開放する。

いみ ❶はなす・はなつ・おいはらう●放射・放出・放送・放電・放流・追放　❷ゆるす・じゆうにする●放課後・放心・放免・開放・解放　❸すておく・ほうっておく●放棄・放置・放任　❹つける●放火

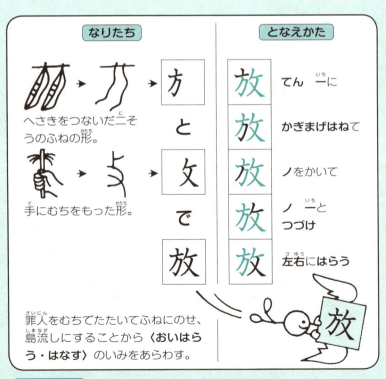

なりたち

へさきをつないだ二そうのふねの形。 → 方

手にむちをもった形。 → 攵

方 と 攵 で 放

罪人をむちでたたいてふねにのせ、島流しにすることから〈おいはらう・はなす〉のいみをあらわす。

となえかた

てん 一に
かぎまげはねて
ノをかいて
ノ 一と つづけ
左右にはらう

つかいわけ　校庭を市民に開放する。宿題から解放される。

歹(いちたへん)の部・6画
上下型／一(よこぼう)

- **くん** しぬ　金魚は、死ぬ前の日まで、とても元気だった。
- **おん** シ　おとなりの犬の死因は食中毒らしい。
なにごとも必死にがんばる。

いみ ❶ しぬ・かれる・うごかなくなる ● 死に目・死に別れ・死因・死去・死刑・死者・死体・死人・死亡・仮死・急死・生死・病死
❷ しにものぐるい・命がけ ● 死にもの狂い・死守・死闘・死力・決死・必死
❸ かつどうしていない・やくにたたない ● 死に学問・死に金・死角・死火山・死語・死物

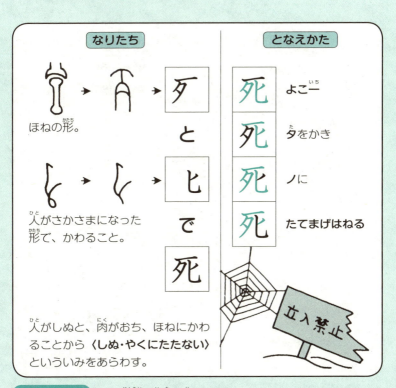

さんこう　死の反対の意味の字…生

力（ちから）の部・10画
□ その他型／ノ（ななめぼう）

くん ——
おん ベン　いっしょうけんめい**勉学**にはげむ。
祖父は高校卒業後に渡米して、学業に**勉励**したそうだ。
母は**勉強**家で、なんでもすぐにマスターする。
日本人は**勤勉**な国民だといわれている。

いみ つとめる・はげむ・せいをだす・全力をかたむける ●勉学・勉強・勉励・勤勉

なりたち

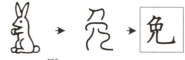
うさぎの形。

うでの力こぶの形。

と

力

で

勉

うさぎはすばしっこくて、とらえるのに手間がかかる。そのうさぎを、とらえようとがんばることから〈はげむ・せいをだす〉といういみになった。

となえかた

勉　クに

勉　たて　かぎで　なかしきり

勉　そこをとじたら

勉　ひとあしつけて

勉　わすれず**力**をいれておく

勉強したくない人は、76ページにいきなさい。

きを　つけよう　　勉の「ク」を「ケ」としない。

力（ちから）の部・12画
左右型／ノ（ななめぼう）

- **くん** かつ（まさる）
  - バスケットボールの試合に**勝**った。
  - 子に**勝**る宝なし、とおばあちゃんはよくいう。
- **おん** ショウ
  - 市の野球の大会で、初優**勝**した。

- **いみ**
  ① かつ・あいてをまかす ●勝ち気・勝ち目・勝手・勝因・勝機・勝者・勝敗・勝負・勝利・決勝・全勝・大勝・必勝・優勝・連勝
  ② すぐれている・まさる ●勝景・勝地・殊勝・名勝

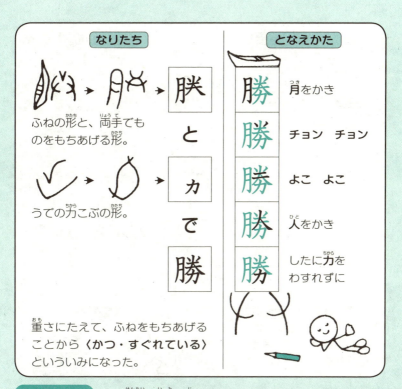

さんこう 勝の反対の意味の字…負・敗

力(ちから)の部・**7画**
左右型／｜(たてぼう)

- **くん** たすける　父が、おぼれた人を**助**けた。
　　　　　　　祖母が、母の仕事を**助**ける。
　　　たすかる　ひどい事故にあったが、なんとか命は**助**かった。
　　　（すけ）　**ちび助**のくせに、なまいきだといわれた。
- **おん** ジョ　　ガリバーは、大きな船に**救助**された。

- **いみ**
  ① いのちをすくう・たすける ● 助太刀・助け船・助命・援助・救助
  ② そえる・主となるものをたすける ● 助演・助言・助産師・助詞・助手・助長・助動詞・助役・助力

88　きを　つけよう　　助の「力」を「刀」としない。

力（ちから）の部・11画
左右型／ノ（ななめぼう）

くん うごく　先生の話をきいて、きもちが動く。
　　　うごかす　そうじをするために、机を動かす。
おん ドウ　火事で消防車が出動する。
　　　　　　動物園でキリンをみた。

いみ ❶うごく・うごかす・うごき●動員・動向・動詞・動物・動脈・動乱・移動・活動・自動・流動　❷はたらく・はたらきをする●動力・出動・発動機　❸おこなう●動作・言動・行動　❹おどろく・心がうごく●動機・動転・感動

なりたち

かさねておいた、重い荷物の形。

うでの力こぶの形。

どんなに重いものでも、力をくわえればうごくということから〈うごく〉のいみをあらわす。

となえかた

動　ノ 一
動　日をかき
動　たて　よこ2本
動　右におおきく力をつける

つかいわけ　家具を移動する。先生が別の小学校に異動になる。

牛（うし）の部・8画
左右型／ノ（ななめぼう）

くん もの　母が、ひさしぶりに着物を着た。
　　　　　落とし物が、やっとみつかった。
おん ブツ　シートンの動物記は全巻読破した。
　　　　モツ　貨物列車が駅を通過する。
　　　　　　荷物を、げんかんまではこぶ。

いみ ❶もの　物置・物音・物事・落とし物・着物・物産・物質・物体・物品・物量・貨物・器物・産物・生物・動物・荷物・万物・名物・果物　❷ことがら　物語・物情・物色・物騒・禁物・事物・風物
●**特別な読み**…果物

なりたち

うしの顔の形。

ゆれうごくふき流しの形で、ふぞろいなこと。

ふき流しのように、むれになってゆれ動くうしは、大切なざいさんだったので、いろいろな〈もの〉のいみでつかわれるようになった。

となえかた

物　ノーのたてで
物　**もちあげて**（うしへんに）
物　ノにかぎまげはねて
物　ノをふたつ

40ページ行

つかいわけ　つくえの上に物が多い。あやしい者ではありません。

皮(けがわ)の部・5画
その他型／ノ(ななめぼう)

- **くん** かわ　妹は、くだものの皮のむきかたが、とてもじょうずだ。
  化けの皮がはがれて、正体をあらわしたタヌキ。
- **おん** ヒ　カメレオンの皮膚は、いる場所の色と同じになる。
  ザリガニの脱皮のようすを観察する。

- **いみ** ❶かわ ● 皮算用・毛皮・皮下・皮革・皮膚・脱皮　❷ものの表面をおおっているもの ● 皮相・皮肉・外皮・樹皮・表皮

なりたち

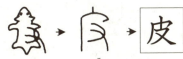

けもののかわを、手ではいでいる形。

けもののかわをはぐ形から〈かわ〉や〈ものの表面をおおっているもの〉のいみをあらわす。

となえかた

 たてたノに

 よこぼうはねて

 たてかいて

 そしてさいごにフに右ばらい

つかいわけ　ミカンの皮をむく。革のコートを着る。

羊(ひつじ)の部・6画
□ その他型／丶(てん)

- **くん** ひつじ　牧場には、三十頭の羊が放牧されている。
  　　　　　羊飼いの仕事について調べる。
- **おん** ヨウ　　羊毛の産出量では、中国が世界一だ。
  　　　　　シェパードは、牧羊犬の代表的な犬種のひとつだ。

- **いみ** ヒツジ● 羊飼い・羊雲・子羊・羊腸・羊頭狗肉・羊皮紙・羊毛・牧羊・綿羊

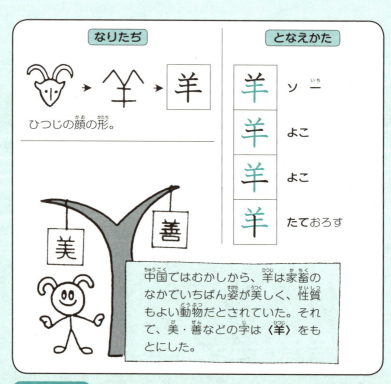

なりたち
ひつじの顔の形。

中国ではむかしから、羊は家畜のなかでいちばん姿が美しく、性質もよい動物だとされていた。それで、美・善などの字は〈羊〉をもとにした。

となえかた
羊　ソー
羊　よこ
羊　よこ
羊　たておろす

きを　つけよう　羊と　にている字…半

羊(ひつじ)の部・9画
上下型／丶(てん)

くん うつくしい　美しいバラの花をかざる。
　　　　　　　　　心の美しい人がすきだ。
おん ビ　　　　　町の美化運動をする。
　　　　　　　　　曲線美にあふれるスポーツカー。

いみ ❶うつくしい ●美化・美観・美術・美女・美人・美男・美名・美容・曲線美・自然美・優美　❷おいしい・うまい ●美酒・美食・美味　❸りっぱな・よい ●美技・美談・美点・美徳　❹ほめたたえる ●賛美・賞美・嘆美

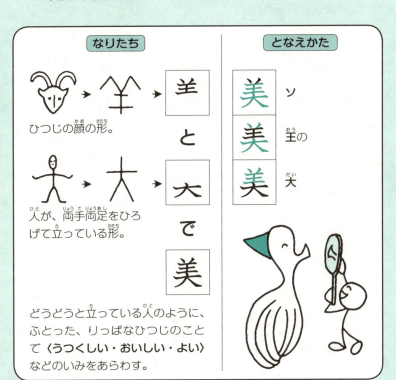

| なりたち | となえかた |

ひつじの顔の形。

人が、両手両足をひろげて立っている形。

と

大

で

美

美 ソ
美 王の
美 大

どうどうと立っている人のように、ふとった、りっぱなひつじのことで〈うつくしい・おいしい・よい〉などのいみをあらわす。

きを つけよう　「美しい」は「美くしい」としない。

羊（ひつじ）の部・12画
上下型／丶（てん）

くん きる　　半そでのシャツを**着**る。
　　　きせる　外はさむいので、弟にセーターを**着**せる。
　　　つく　　なんとか泳いで、むこう岸へたどり**着**く。
　　　つける　作業をするときには、手ぶくろを**着**ける。
おん チャク　宇宙船が、ぶじに月面に**着**陸した。
　　（ジャク）愛着は、仏教のことばでは**愛着**とも読む。

いみ ❶からだにつける・きる●**着**物・**着**衣・**着**用　❷つく●**着**色・定**着**・付**着**　❸ばしょやしごとなどにつく●**着**手・**着**順・**着**席・**着**任・**着**陸・到**着**　❹思いつく●**着**眼・**着**想　❺きまりがつく●決**着**・落**着**

なりたち

ひつじの顔の形。

わけるしるしと目の形。

羊と目で**着**

ひつじの毛がのびると、毛をわけないと目をおおってしまい、みえないほどになることから〈からだにつける・つく〉といういみをあらわす。

となえかた

ソ　王　ノ　目

さんこう　着の反対の意味の字…発・脱

馬(うま)の部・14画
左右型 / １(たてぼう)

くん ──
おん エキ　駅で、こども用のきっぷを買った。
　　　　駅員に、つぎの発車時刻をたずねる。
　　　　日本各地を旅行して、駅弁を食べるのはたのしみだ。

いみ ❶馬つぎ場・宿場●駅路・宿駅　❷えき●駅員・駅舎・駅長・駅伝・駅弁・駅名・始発駅・終着駅

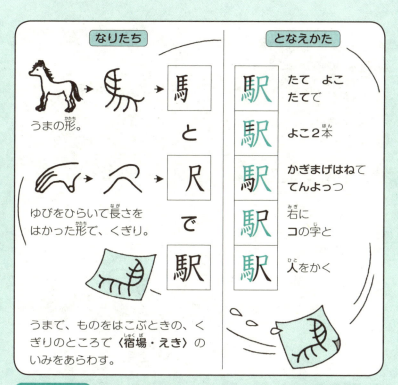

なりたち

うまの形。

ゆびをひらいて長さをはかった形で、くぎり。

馬 と 尺 で 駅

うまで、ものをはこぶときの、くぎりのところで〈宿場・えき〉のいみをあらわす。

となえかた

駅　たて　よこ　たてで
駅　よこ２本
駅　かぎまげはねて　てんよっつ
駅　右に　コの字と
駅　人をかく

きを　つけよう　駅の１画目は横棒ではなく、たて棒から書く。

羽(はね)の部・11画
上下型／一(よこぼう)

くん ならう　兄に、ふえのふきかたを**習う**。
　　　　　　わたしは春から英会話を**習う**。
おん シュウ　きょうの国語の授業を**復習**する。
　　　　　　早おきは、よい**習慣**なので、つづけることがたいせつだ。

いみ ❶ならう・教えてもらう●習作・習字・習得・習熟・学習・教習・講習・自習・実習・復習・補習・予習・練習　❷ならわし・しきたり●習慣・習性・習俗・悪習・因習・慣習・風習

なりたち

鳥のはねの形。

と

たいようから明るい光がでる形で、その光の色「白」のこと。

習

まだ羽が白っぽいひなが、けんめいにはばたいて親鳥から飛び方をならっていることで〈ならう〉のいみをあらわす。

となえかた

習　かぎはね
習　ン
習　かぎはね　ン
習　したにかん字の白をかく

きを　つけよう　習の「白」を「日」としない。

隹（ふるとり）の部・12画
上下型／ノ（ななめぼう）

くん あつまる　全校生徒が校庭に**集**まる。
　　　あつめる　ごみを一か所に**集**める。
　　　（つどう）　オリンピックに、世界各国のスポーツ選手が**集**う。
おん シュウ　　山で昆虫採**集**をする。
　　　　　　　父は町の**集**会にでかけた。

いみ ❶あつまる・あつめる ● 集金・集計・集結・集散・集中・集約・採集・招集　❷人のあつまり・つどい ● 集会・集合・集団・集落・群集　❸作品をあつめたもの ● 詩集・全集・文集

なりたち

おのみじかい鳥の形。

木の形。

隹 と 木 で 集

木の上に、鳥がたくさんむらがりあつまることから〈あつまる・あつめる〉といういみをあらわす。

となえかた

集	イをかいて
集	てん 一
集	たてで
集	よこ3本
集	したにおおきく木をつける

鳥 鳥 鳥 鳥
鳥 鳥 鳥

きを　つけよう　「**集**まる」は「**集**つまる」としない。

口（くち）の部・10画
上下型／1（たてぼう）

くん ——
おん イン　バスは乗客で**満員**になった。
　　　　チームの**員数**が一人たりない。
　　　　改札口のところにいる**駅員**に、列車のダイヤをきく。

いみ ❶かず ●員数・欠員・人員・増員・定員・満員　❷きまったやくめやしごとをうけもっている人 ●委員・駅員・外交員・議員・教員・銀行員・欠員・公務員・事務員・社員・職員・全員・部員

なりたち

まるいしるしと貝の形。

この形から、お金や人やものをかぞえるときの〈かず〉のいみになり、のちに〈やくめやしごとをうけもっている人〉のいみにもなった。

となえかた

員　ひらたい口に
員　目
員　ハとかく

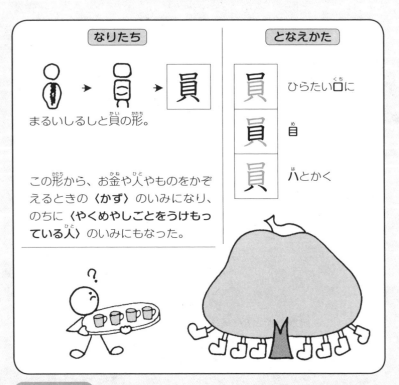

きを　つけよう　員の「貝」を「見」としない。

貝(かい)の部・9画
上下型／ノ(ななめぼう)

- **くん** まける　決勝戦で、おしくも**負**ける。
  - まかす　トランプの七ならべて、妹を**負**かす。
  - おう　　かごに、かりとった草を入れて背**負**う。
- **おん** フ　　父へのプレゼントの**負**担は一人百円だ。
  - じゃんけんで勝**負**をつける。

いみ ❶おう・せおう ●負荷・負債・負担・自負　❷うける ●手負い・負傷　❸まける・まけ ●根負け・勝負

なりたち

人がかがんでいる形。

貝の形で、おかねのこと。

人が、じぶんのおかねや、ざいさんをせおうことから〈せおう〉のいみになった。また、〈まける〉のいみもあらわした。

となえかた

負　クに
負　目をかいて
負　ハをつける

さんこう　負の反対の意味の字…勝

目(め)の部・9画
その他型／丨(たてぼう)

くん ──
おん ケン　**県営**球場で、野球の試合をする。
　　　　熊本**県**の**県花**はリンドウの花で、**県木**はクスノキだ。
　　　　四国四**県**の、**県庁所在地**を調べる。

いみ けん・国をわけたくぎりの一つ ● 県営・県下・県花・県外・県境(県境)・県知事・県庁・県道・県内・県木・県民・県立・近県

なりたち

ふくろうの首をさかさまにして、木にかけた形。

もとは木に首をぶらさげる形から〈かける・つながりがある〉のいみだったが、いまは中央とつながりのある〈県〉のいみになった。

となえかた

 目に

 たてまげて

 たて　チョン　チョン

ふくろうは母鳥を
くらい森のスすにかくれてあえるように
さかさまにして
さらし首にして

100　きを　つけよう　県の「レ」は一筆で書く。

ノ(はらいぼう)の部・9画
□その他型／ノ(ななめぼう)

くん のる　地下鉄に**乗る**。いすの上に**乗る**。友だちの相談に**乗る**。
リズムに**乗る**。**乗り**物の絵本をみる。
のせる　幼稚園にかよう妹を、通園バスに**乗せる**。
おん ジョウ　朝の電車は**乗客**がいっぱいだ。高速バスの**乗車券**を買う。

いみ ❶のる・のせる ●**乗**組員・**乗**り物・上**乗**せ・**乗**員・**乗**客・**乗**降・**乗**車・**乗**船・**乗**馬・**乗**用車　❷かける・かけ算 ●**乗**除・**乗**数・**乗**法・三**乗**・自**乗**

●**送りがなに注意**…「乗組員」は、「乗り組み員」とは書かない。

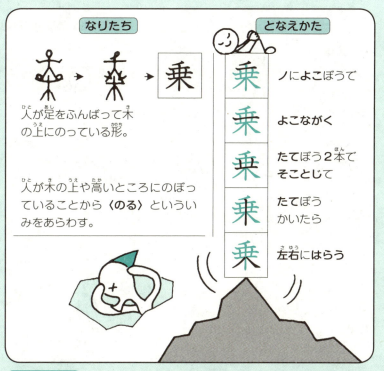

なりたち

人が足をふんばって木の上にのっている形。

人が木の上や高いところにのぼっていることから〈のる〉といういみをあらわす。

となえかた

ノによこぼうで
よこながく
たてぼう2本でそことじて
たてぼうかいたら
左右にはらう

クイズ　大□に乗ったよう　□に入るのは？　①車　②波　③船

木(き)の部・8画
左右型／一(よこぼう)

くん	いた	五まいの板で、はこをつくる。
		板の間は足がひえる。
おん	ハン	甲板を船長が歩いてくる。
		鉄板をはさみで切る。
	バン	先生が算数の問題を板書する。

いみ ❶いた・たいらでうすいもの●板ガラス・板戸・板の間・板前・屋根板・床板・板書・看板・甲板(甲版)・掲示板・黒板・鉄板 ❷印刷用のはんぎ●板木・板本・乾板・原板

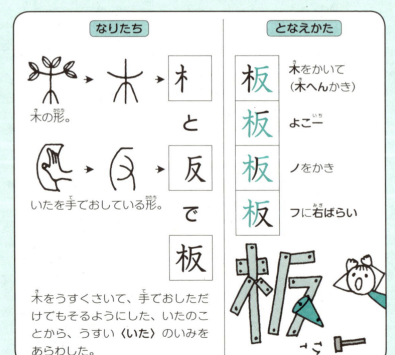

なりたち

木の形。

いたを手でおしている形。

木と反で板

木をうすくさいて、手でおしただけでもそるようにした、いたのことから、うすい〈いた〉のいみをあらわした。

となえかた

木をかいて(木へんかき)
よこ一
ノをかき
フに右ばらい

クイズ 立て板に□ □に入るのは？ ①油 ②水 ③湯

木(き)の部・9画
左右型／一(よこぼう)

くん はしら　家の柱には、ふとい木を使う。
事故現場に火柱がみえた。
父は、わが家の大黒柱だ。
おん チュウ　円柱の体積を計算でもとめる。
電柱にカマキリがいた。

いみ ❶はしら● 柱時計・貝柱・霜柱・火柱・円柱・角柱・支柱・鉄柱・電柱・氷柱　❷中心になるもの・たよりになる人やもの●大黒柱・柱石

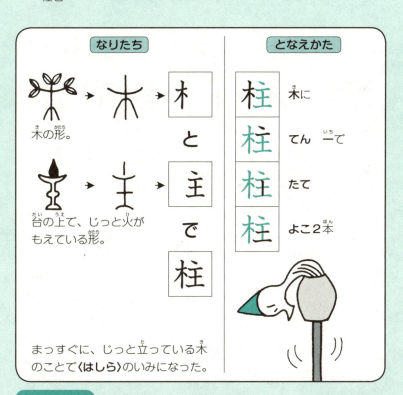

きを　つけよう　柱の「主」を「圭」としない。

木(き)の部・14画
左右型／一(よこぼう)

くん さま　ねむりひめと王子様の物語を読んだ。
　　　　　日本の神様は、八百万の神といって、たくさんいる。
おん ヨウ　夕日が海へしずんでいく様子は美しい。
　　　　　縄文土器の文様には、意味があるという。

いみ ❶ありさま●様子・様相・様態・一様・異様・同様　❷かた・きまったかたち●様式・仕様　❸図がら●模様・文様　❹なまえなどにつけて、相手をうやまうことば●王様・王子様・お客様・神様・殿様・皆様　❺ていねいなきもちをあらわすことば●ご苦労様

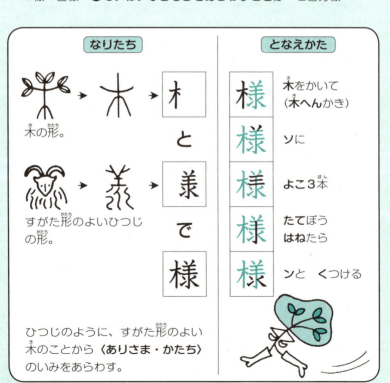

なりたち

木の形。

すがた形のよいひつじの形。

ひつじのように、すがた形のよい木のことから〈ありさま・かたち〉のいみをあらわす。

となえかた

木をかいて（木へんかき）
ソに
よこ3本
たてぼう はねたら
ンと くつける

きを　つけよう　様の「氺」を「水」としない。

木(き)の部・10画
左右型／一(よこぼう)

- **くん** ね／木の**根**をほりだして、とりのぞく。
  屋**根**に雪がつもってきた。
- **おん** コン／細かい**根毛**は、水や養分をすう役めをする。
  どっちががまん強いか、**根比**べだ。
  病気を手術で**根治**する。

いみ
1. ね・ねっこ ● 根幹・根茎・根毛・球根・根源・根治(根治)・根絶・根底・根本・病根
2. ものごとのもと ● 根源・根治(根治)・根絶・根底・根本・病根
3. ものごとにたえる力 ● 根気・根比べ・根性・根負け

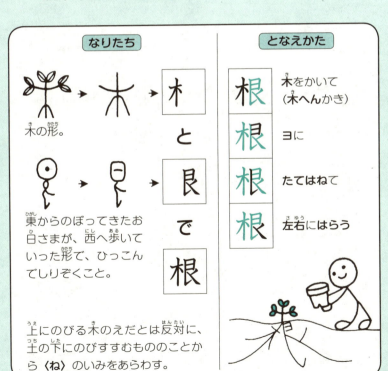

きを つけよう 根の「艮」を「良」としない。

木(き)の部・12画
左右型／一(よこぼう)

くん うえる　新しい家にひっこしたら、母は庭にバラを**植える**そうだ。
　　　 うわる　おじいちゃんの家の庭には、大きなマツの木が**植わっ**ている。
おん ショク　開校五十周年を記念して、校庭にサクラの木を**植樹**する。

いみ ❶うえる・うえつける ●植木・植え込み・田植え・植樹・植物・植林・移植　❷人をうつして、土地を切りひらかせる ●植民・入植　❸活字を組む ●植字・誤植
●**送りがなに注意**…「植木」は、「植え木」とは書かない。

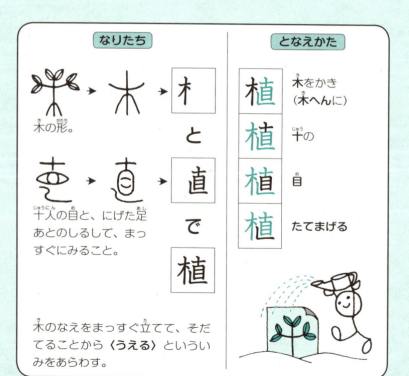

クイズ　植－木－十＋小＝？

木(き)の部・15画
左右型／一(よこぼう)

くん よこ　横顔を写真にうつした。
　　　　　つかれたので横になる。
おん オウ　大陸を横断する。
　　　　　空き巣が横行しているので、注意しよう。
　　　　　事故で車が横転した。

いみ ❶よこ●横糸・横顔・横書き・横町・横取り・横殴り・横笛・横道・横向き・横目・横文字・横断・横転　❷わがまま・かって●横行・横着・横暴・横領・専横

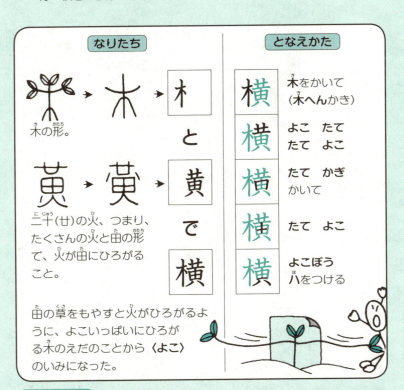

なりたち

木の形。

二十(廿)の火、つまり、たくさんの火と田の形で、火が田にひろがること。

田の草をもやすと火がひろがるように、よこいっぱいにひろがる木のえだのことから〈よこ〉のいみになった。

となえかた

木をかいて（木へんかき）
よこ　たて　たて　よこ
たて　かぎ　かいて
たて　よこ
よこぼう ハをつける

さんこう　横の反対の意味の字…縦

木（き）の部・16画
左右型／一（よこぼう）

くん はし
町の対岸の島に、**橋**がかかった。
川にかかる長い**釣り橋**を、はじめてわたった。
ぼくは、**石橋**をたたいてわたるような性格だ。

おん キョウ
長い貨物列車が**鉄橋**をわたっていく。
駅前に、あたらしい**歩道橋**ができた。

いみ はし ● 石橋・桟橋・釣り橋・土橋・丸木橋・鉄橋・歩道橋・陸橋

なりたち

木の形。

先のまがっている、高いたてものの形。

木 と 喬 で 橋

高いところにかかっていて、まがっている木ということから、川などにかける〈はし〉のいみをあらわす。

となえかた

橋　木に
橋　ノで 大で
橋　口をかき
橋　たて かぎはねて
橋　なかに口

クイズ　□**橋**をたたいてわたる　□に入るのは？　①板　②岩　③石

艹（くさかんむり）の部・10画
上下型／一（よこぼう）

くん に　旅行の**荷**造りをする。
　　　そんなだいじな役は、ぼくには**重荷**だ。
　　　お正月の市場に**初荷**の魚がとどいた。
おん（カ）村では、リンゴの**出荷**がはじまった。
　　　注文した本は、来週書店に**入荷**するらしい。

いみ ❶にもつ　荷造り・荷主・荷札・荷物・積荷・初荷・船荷・集荷・出荷・入荷　❷になう・ひきうける　荷車・荷馬車・荷役・重荷・荷重・荷担

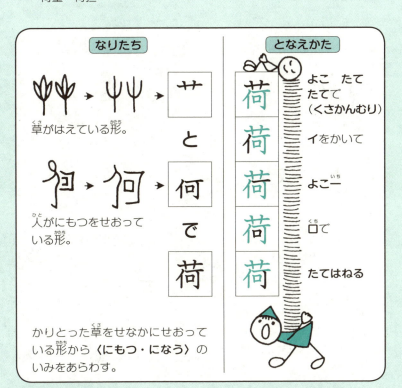

きを つけよう　荷の「可」を「司」としない。

サ（くさかんむり）の部・12画
上下型／一（よこぼう）

くん は　枯れ葉の上を歩く音は、きもちがいい。
　　　　おじいちゃんに絵葉書をだす。
おん ヨウ　紅葉の美しい秋がすきだ。
　　　　落葉に秋の深まりを感じる。

いみ ❶草や木の葉 ●葉桜・青葉・枝葉(枝葉)・枯れ葉・朽ち葉・若葉・葉脈・葉緑素・紅葉(紅葉)・単葉・複葉・落葉　❷うすいものをかぞえることば ●一葉
●特別な読み…(紅葉)

なりたち

草がはえている形。

木のえだに、はっぱがしげっている形。

サ と 葉 で 葉

木のえだにそだち、はえてはおち、おちてははえる、草のようなもののことから〈草や木の葉〉のいみをあらわす。

となえかた

葉　よこぼうかいてたて2本（くさかんむり）

葉　よこぼうながく

葉　たてぼう2本　左から

葉　そこをふさいでたてぼうまげて

葉　したにかん字の木をつける

クイズ　□も葉もない　□に入るのは？　①花　②根　③木

艹（くさかんむり）の部・12画
上下型／一（よこぼう）

くん おちる　ぼやっとしていて、階段から**落ちる**。
　　　おとす　カレーうどんのしみを**落とす**のは、たいへんだ。
おん ラク　がけの下では、**落石**に注意する。
　　　　　　かべに**落書き**をするのはよくない。

いみ ❶おちる・ちる・おとす●落ち葉・落とし穴・落とし物・落第・落日・落石・落選・落馬・落葉・落雷・落下・転落　❷おわりになる●落成・落着・段落・没落　❸いえがあつまっているところ●集落・村落　❹こっけい●落書き・落語

なりたち

草がはえている形。

水の形と、歩いてきた人がそれぞれにひとつひとつのことをいう形。

艹 と 洛 で 落

水のしずくがぽたぽたと、ひとつひとつたれるように、草木の葉がひらひらとおちることから〈おちる〉のいみをあらわす。

となえかた

落　よこぼうかいて
落　たて2本
落　左にさんずい
落　クに右ばらいで
落　口をかく

クイズ　□も木から落ちる　□に入るのは？　①猿　②鳥　③虫

⊹⊹（くさかんむり）の部・16画
上下型／一（よこぼう）

くん くすり　かぜ薬を一日三回のむ。
　　　　　先生にしかられたことは、わたしにとっていい薬になった。
おん ヤク　薬品は、幼児の手のとどかないところへおいておく。

いみ ❶**くすり**●薬屋・薬指・かぜ薬・粉薬・眠り薬・水薬・薬草・薬品・薬物・薬用・薬局・医薬・新薬・投薬・毒薬・服薬・麻薬・妙薬・良薬　❷**火をつけたり、ばくはつさせたりするための材料**●火薬・弾薬・爆薬

なりたち

 →  → ⊹⊹
草がはえている形。

と

 → 楽 → 楽
楽器と台の形で、心やすらかになること。

で

薬

ねつがでてつらいとき、のむと楽になる草のことから〈くすり〉のいみをあらわす。

となえかた

薬	**くさかんむりに**（サをかいて）
菓	**白をかき**
薬	**左にチョン　チョン**
薬	**右にもチョン　チョン**
薬	**したにおおきく木をつける**

きを　つけよう　薬の「白」を「日」としない。

↠（くさかんむり）の部・8画
上下型／一（よこぼう）

くん
- くるしい　このところ、夜になると、せきがでて苦しい。
- くるしむ　このおいしいケーキを食べないとは、理解に苦しむ。
- くるしめる　村の民は、重税に苦しめられたという。
- にがい　コーヒーは苦いので、わたしはのめない。
- にがる　苦り切った顔で文句をいう。

おん
- ク　青竹ふみの苦痛に顔をゆがめる。
　　　楽あれば苦あり。

いみ
❶にがい●苦味　❷にがにがしい・おもしろくない●苦言・苦笑・苦情　❸くるしい●苦手・苦学・苦心・苦戦・苦痛・苦闘・苦難・苦悩・苦楽・苦労・四苦八苦

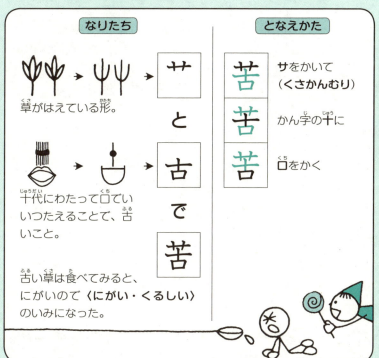

なりたち

草がはえている形。

十代にわたって口でいいつたえることで、古いこと。

古い草は食べてみると、にがいので〈にがい・くるしい〉のいみになった。

と　古　で　苦

となえかた

苦　サをかいて（くさかんむり）
苦　かん字の十に
苦　口をかく

きを　つけよう　苦と　にている字…若

干(いち/じゅう)の部・5画
□その他型／一(よこぼう)

くん たいら　トンボという道具で、校庭を**平**らにならす。
　　　 ひら　　小林くんは、大きな**平**屋に住んでいる。
おん ヘイ　　ハトは**平**和のシンボルといわれる。
　　　 ビョウ　ピザをみんなで**平**等にわける。

いみ ❶**ひらたい・たいら**●平泳ぎ・平屋・平原・平地・平板・平面・平野・水平・地平線　❷**かたよらない・おなじ**●平等・平均・平行・公平　❸**ふつう・ふだん**●平気・平時・平日・平常・平生・平素・平熱・平年　❹**おだやか**●平安・平静・平和

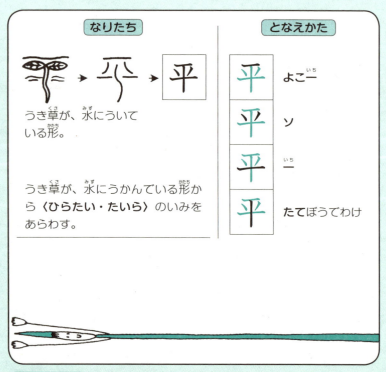

なりたち	となえかた
うき草が、水についている形。	平　よこ一
	平　ソ
	平　一
うき草が、水にうかんでいる形から〈ひらたい・たいら〉のいみをあらわす。	平　たてぼうでわけ

つかいわけ　**平行**な直線を引く。鉄道と道路が**並行**している。

竹(たけ)の部・11画
上下型／ノ(ななめぼう)

くん ——
おん ダイ　父は、ぼくの学校の**第**一回目の卒業生だ。
　　　　そろばんの進級試験に**落第**しないように、がんばる。
　　　　入学して、学校生活の**第**一歩をふみだす。

いみ ❶もののじゅんじょ●式次第　❷ものをかぞえるときに、つけることば●第一人者・第一章・第一線・第一歩・第五列・第三者・第六感　❸しけん・テスト●及第・落第

きを　つけよう　　第と　にている字…弟

竹(たけ)の部・12画
上下型／ノ(ななめぼう)

くん ふで　書きぞめ用の**筆**を買う。
　　　　　馬の毛を使った高級な絵**筆**。
　　　　　あの人は**筆**は立つが、話はへただ。

おん ヒツ　入学祝いに万年**筆**をもらった。
　　　　　先生の話をノートに**筆**記する。
　　　　　おじいちゃんは達**筆**だ。
　　　　　すきな作家は、新しい小説を執**筆**中らしい。

いみ ❶ふで●**筆**箱・絵**筆**・細**筆**・**筆**洗・鉛**筆**・硬**筆**・万年**筆**・毛**筆**
　　　❷字や絵をかく・かかれたもの●**筆**記・**筆**者・**筆**順・**筆**勢・**筆**力・運**筆**・執**筆**・自**筆**・随**筆**・達**筆**・肉**筆**

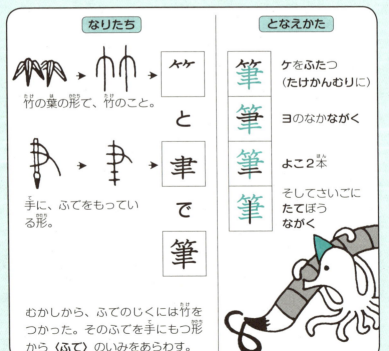

むかしから、ふでのじくには竹をつかった。そのふでを手にもつ形から〈ふで〉のいみをあらわす。

クイズ　「**筆**が立つ」の意味は？　①上手　②下手　③ふつう

竹(たけ)の部・12画
上下型／ノ(ななめぼう)

- **くん** ひとしい　二本のひもの長さが等しくなるように、はさみで切る。
  チームは決勝で負けたが、がんばりは優勝にも等しい。
- **おん** トウ　ショートケーキを三人で等分にわけた。
  高級店の上等な料理は、やっぱりおいしい。

いみ ❶おなじ・ひとしい●等圧線・等温線・等級・等高線・等質・等分・等量・同等・平等　❷くらい・ものごとのじゅんじょ●等外・下等・高等・上等・初等・中等・特等・優等・劣等　❸……など●バスや船等

なりたち

竹の葉の形で、竹のこと。

手足をうごかし、はたらくことから、仕事をする役所のこと。

竹 と 寺 で 等

文字を書くための竹でできた板の長さを、役所でそろえたところから〈おなじ・ひとしい〉のいみをあらわす。

となえかた

等　ケをふたつ
　　（ケケとかき）

等　土をかいたら

等　よこ　たてはね
　　チョン

きを つけよう　等の「寸」の「ヽ」をわすれずに書く。

竹(たけ)の部・15画
上下型／ノ(ななめぼう)

くん はこ　ダンボールの**箱**に、ひっこしの荷物をつめる。
　　　　じょうぶな木の**箱**は、いろいろなことにつかえる。
　　　　母は、お金持ちの家の**箱入り娘**として育った。
　　　　うっかりして、**弁当箱**を学校にわすれてきた。

おん ────

いみ いれもの・はこ ● 箱入り娘・箱庭・暗箱・空箱・木箱・重箱・巣箱・玉手箱・手箱・道具箱・針箱・百葉箱・筆箱・弁当箱・宝石箱・本箱

なりたち

竹の葉の形で、竹のこと。

木と目の形で、よくみることから、たすけること。

竹でつくった、いれものとふたは、たがいにたすけあって、なかのものが出ないようにすることから、〈はこ〉をあらわす。

となえかた

箱　ケをふたつ
　　（たけかんむりに）

箱　したに
　　木をかき

箱　目をよこに

クイズ　箱－竹＋心＝？

竹(たけ)の部・11画
上下型／ノ(ななめぼう)

くん ふえ 神社から笛の音がきこえる。
気分よく口笛をふく。
横笛は、縦笛より音を出すのがむずかしい。
おん テキ 交差点で、トラックが警笛をならした。
汽笛をならして、蒸気機関車がゆっくりと発車した。

いみ ふえ ●草笛・口笛・縦笛・角笛・麦笛・横笛・汽笛・警笛・鼓笛隊・牧笛(牧笛)

きを つけよう 笛の「由」を「田」としない。

禾(のぎへん)の部・9画
左右型／ノ(ななめぼう)

くん ──
おん ビョウ　ロケット発射の**秒**読みがはじまった。
　　　　　うで時計の**秒**針がこわれたので、修理にだす。
　　　　　あと十**秒**で、ついに年があける。

いみ ❶とてもわずかなもの●寸秒・分秒　❷時間、角度、経度、緯度の
単位●秒針・秒速・秒読み

なりたち

いねのほが、たれている形。

小さいものをわけて、さらに小さなものにした形。

いねのほさきにある「のぎ」は、ほそく、とても小さいところから〈わずかなもの〉のいみになった。

となえかた

　ノ　禾とかき
　　　（のぎへんに）

　たてはね

秒　チョン　チョン

　ノをながく

よくみえない人は
虫めがねで
どうぞ　　→ ヒマダナア

クイズ　秒－少＋女＝？

田(た)の部・5画
□ その他型／｜(たてぼう)

くん （よし） 本人がいない今、真実を知る**由**もない。
おん ユ　　イースターのおまつりの**由来**を知る。
　　　ユウ　　旅行の中止の**理由**が、はっきりしない。
　　　　　　　山野を**自由**にとびはねて遊ぶ。
　　　（ユイ）京都で**由緒**あるお寺を見学する。

いみ ❶よる・もとづく・よりしたがう ● **由来**・**自由** ❷いわれ・わけ ● **由緒**・**事由**・**理由** ❸そこを通る ● **経由**

なりたち

えだにたれさがっている、実の形。

植物が、芽・花・実というすじみちをたどることから〈いわれ・わけ〉のいみになり、えだにつく実ということから〈よる・もとづく〉のいみをあらわす。

となえかた

 たて
 かぎ
 たてぼう
 よこ2本

きを　つけよう　　由と　にている字…田・申

耂(おいかんむり)の部・8画
上下型／一(よこぼう)

- **くん** もの　若者のつどいに参加する。
- **おん** シャ　おじは、多くの読者をひきつける小説の作者だ。

いみ ❶人のこと ●若者・医者・学者・患者・記者・作者・使者・実力者・信者・第三者・長者・著者・読者・筆者・有力者・猛者 ❷ものごと・ことがら ●後者・前者

●特別な読み…(猛者)

(なりたち)

耂 → 者 → 者

かまどで、いろいろなこくもつをにる形。

こくもつをぐつぐつにるときは、火の番をする人が必要ということから〈人〉のいみをあらわした。

(となえかた)

者	よこ たて よこで
者	ノをかいて
者	たて かぎかいて
者	よこ2本

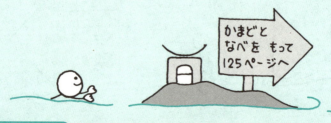

かまどとなべをもって125ページへ

つかいわけ　君はどこの者だ。公共の物を大事にする。

門(もんがまえ)の部・12画
□ その他型／｜(たてぼう)

くん	ひらく	庭においてあるアサガオの花が開く。
あ	ひらける	あきらめなければ、かならず道は開ける。
	あく	小学校の正門は朝八時に開く。
	あける	部屋の空気を入れかえるために、まどを開ける。
おん	カイ	中央通りは、サクラの花が満開だ。
		開会式は十時からだ。

いみ ❶ひらく・あける・あく ● 開園・開花・開通・開閉・開放・公開・展開・満開 ❷ひらける・ぶんかがすすむ ● 開運・開化・開発・新開地・未開 ❸ものごとをはじめる・はじまる ● 店開き・山開き・開会・開業・開始・開店・開幕・再開

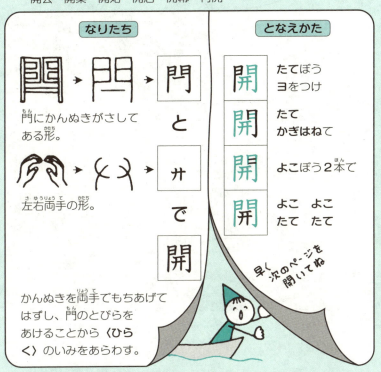

つかいわけ　校門が開く。バスのせきが空く。生まれた子犬の目が明く。

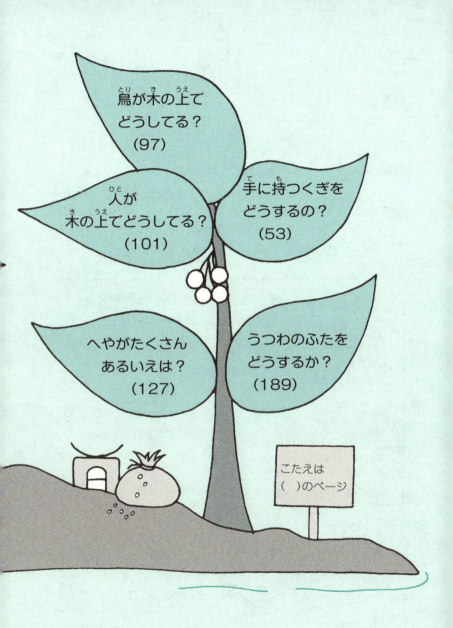

口(くち)の部・6画
その他型／ノ(ななめぼう)

くん むく 名前をよばれて、うしろを向くと、先生がいた。
   むける 顔を横に向ける。
   むかう テストの勉強で、朝からつくえに向かう。
   むこう 通りの向こうに、大きな公園がある。
おん コウ 自動車は、急に方向をかえて走り去った。

いみ ❶むく・むかう・もくてきとする●向かい風・向こう岸・向学心・向寒・向日性・向上・出向 ❷おもむき・かたむき・むき●意向・傾向・転向・動向・風向・方向

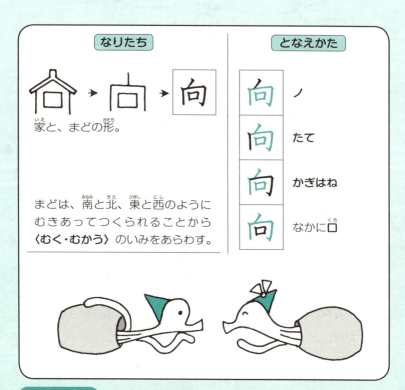

なりたち
家と、まどの形。

まどは、南と北、東と西のようにむきあってつくられることから〈むく・むかう〉のいみをあらわす。

となえかた
向 ノ
向 たて
向 かぎはね
向 なかに口

きを つけよう　向の「口」を「日」としない。

宀（うかんむり）の部・10画
上下型／丶（てん）

- **くん** みや　弟の七五三の**お宮参り**にいく。
- **おん** キュウ　小高いおかに**王宮**がたっている。
- （グウ）　お正月は、家族で**明治神宮**へ初もうでにいく。
- （ク）　皇居内にある**宮内庁**へ、雅楽演奏をきかにいく。

いみ ❶ごてん・りっぱなたてもの ●宮殿・王宮・離宮・竜宮城　❷天子、皇族のすまい・皇族の称号 ●宮城・宮中・宮内庁　❸やしろ・じんじゃ ●宮参り・宮司・参宮・神宮

なりたち

たくさんの部屋でしきられた、たてものの形。

部屋の数がたくさんある、ごてんのことから〈りっぱなたてもの〉のいみをあらわす。

となえかた

宮	ウかんむりに（ウをかいて）
宮	ロ
宮	ノ
宮	ロ

きを　つけよう　宮と　にている字…官

食（しょく）の部・16画
左右型／ノ（ななめぼう）

- **くん** やかた　町内にレンガづくりの古い館がある。
- **おん** カン　市の**科学博物館**を見学した。
　　　　　図書館でお話の会があった。
　　　　　映画館で戦争の記録映画をみた。

- **いみ** ❶**大きなたてもの・やかた**●映画館・開館・休館・新館・全館・入館・閉館・別館・本館・洋館・旅館　❷**大きな公共のたてもの**●会館・公民館・児童館・大使館・図書館・博物館・美術館

きを　つけよう　館の「官」を「宮」としない。

宀（うかんむり）の部・6画
上下型／ヽ（てん）

くん まもる　千人もの兵が城を**守**る。
　　　　　　　相手チームの**守**りはかたい。
　（もり）　いちばん下の妹の**お守**りをする。
おん シュ　ぼくの**守備**位置はセカンドだ。
　　　ス　　弟と二人で**留守**番をする。

いみ ❶まもる・まもり ● 守衛・守勢・守備・攻守・固守・死守・保守・留守　❷おまもり・神仏のおまもり ● 守り神・守り札・守護　❸まもりについている人・役人 ● 子守・灯台守・墓守・看守・国守
●送りがなに注意…「子守」「灯台守」「墓守」などは、「子守り」「灯台守り」「墓守り」とは書かない。

なりたち	となえかた

家のやねの形。

手くびに「一」じるしをつけた形で、仕事をすること。

家のなかで仕事をして、家をまもることから〈まもる・まもり〉のいみをあらわす。

守　ウをかいて（ウかんむり）
守　よこ一
守　たてはね
守　てんつける

きを　つけよう　守の「寸」の「、」をわすれずに書く。

129

宀（うかんむり）の部・8画
上下型／丶（てん）

くん み　　公園で木の実をひろう。
　　　みのる　バケツでそだてたイネの穂が実った。
おん ジツ　おいしい果実がなる木。
　　　　　　友人に事実をたしかめる。

いみ ❶みちる・みたす●充実　❷ほんとうの・じっさいの●実技・実現・実験・実行・実際・実在・実際・実社会・実習・実物・実母・実用・実力・実話　❸なかみ●実質・名実　❹まこと・まごころ●実直・真実・誠実　❺み・みのる●木の実（木の実）・果実・結実

なりたち

家のやねの形。

貝の形で、たからもののこと。

家のなかに、たからものがいっぱいあることで〈みちる・みたす〉のいみをあらわす。

となえかた

 ウかんむり
（ウをかいて）

 よこぼう3本

実　人をかく

きを　つけよう　「実る」は「実のる」としない。

 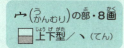

宀（うかんむり）の部・8画
上下型／丶（てん）

- **くん** さだめる　三年生での学習の目標を定める。
  - さだまる　サッカーの試合の日程が定まる。
  - （さだか）　にげだしたネコのゆくえは定かでない。
- **おん** テイ　値引きしないで、定価どおりに品物を売る。
  - ジョウ　定規の正しい使い方をおしえる。

いみ ❶きめる・さだめる・きまり●定義・定住・確定・規定・決定・判定・予定　❷かわらない・きまっている●定規・定石・定員・定温・定価・定期・定刻・定時・定食・定着・安定・一定・特定・不定　❸しずめる●平定

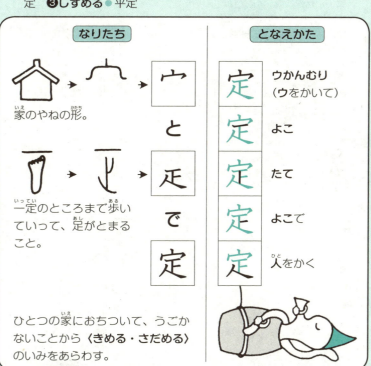

きを つけよう　定の「宀」を「冖」としない。

宀（うかんむり）の部・6画
上下型／丶（てん）

くん やすい　季節のくだものは、しんせんで**安い**。
　　　　　　おじは、**心安い**人だ。
おん アン　　みんなが元気なので、**安心**した。
　　　　　　車のこない**安全**な場所で遊ぶ。

いみ ❶やすらか・おだやか・心配がない●安住・安心・安静・安全・安息・安定・安否・安眠・治安・不安・平安　❷かんたん・たやすい●目安・安易・安産・安直　❸ねだんがやすい●安上がり・安売り・安値・格安・割安・安価

なりたち

家のやねの形。

両手を前でくんですわる女の人の形。

宀 と 女 で 安

女の人が家のなかで、しずかに休んでいる形から〈やすらか〉のいみをあらわした。

となえかた

安　ウをかいて（ウかんむり）
安　したに
安　ノ
安　一
　　女をいれる

クイズ　安 − 女 + 阝 + 元 = ？

宀（うかんむり）の部・9画
上下型／丶（てん）

くん ——
おん キャク　けさは雨で、バスの**乗客**が多い。
　　　　　　　あす、家に**お客**さんがくる。
　（カク）　　新しい型の**旅客機**を空港でみた。

いみ ❶きゃく・たずねてくる人●客人・客間・珍客・賓客・来客　❷おかねをはらって、ものをみたり、買ったり、りようしたりする人●客車・客席・買い物客・観客・乗客・旅客　❸じぶんとはべつの立場にあるもの●客観　❹ひと●剣客（劍客）・論客（論客）

なりたち

家のやねの形。

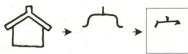
歩いてくる人と口の形で、たどりついて話をすること。

宀 と 各 で 客

歩いてきた人が、家に入って話をすることから〈きゃく・たずねてくる人〉のいみになった。

となえかた

客　ウかんむり
　　（ウをかいて）
客　クに右ばらい
客　口をかく

さんこう　客の反対の意味の字…主

宀（うかんむり）の部・11画
上下型／丶（てん）

- **くん** やど　夏の旅行は、駅のそばの宿にとまる。
  　　　　　安宿だから、朝食もない。
  　　　やどる　草の葉につゆが宿る。
  　　　やどす　昔のおもかげを宿す町をあるく。
- **おん** シュク　野球の合宿がはじまった。
  　　　　　家族で民宿にとまる。

- **いみ** ❶やどや・とまること ● 宿賃・宿屋・宿舎・宿直・宿場・宿泊・合宿・下宿・投宿・野宿・民宿　❷もとからの・まえからの ● 宿願・宿業・宿題・宿敵・宿望・宿命

なりたち

家のやねの形。

人としきものの形で、人が席につくこと。

→ 宀 と 佰 で 宿

人が家のなかの席につくことで、人が集まってきてとまる、つまり〈やどや・とまること〉のいみをあらわす。

となえかた

ウかんむり
（ウをかいて）

したに
イをかき

百をかく

きを つけよう　宿の「白」を「自」としない。

➡ ワ(かんむり)の部・5画
上下型／l(たてぼう)

くん うつす　まんがの絵をノートに**写**す。
　　　うつる　水たまりをのぞくと、顔が**写**る。
おん シャ　　**写真**をアルバムに整理する。

いみ ❶かきうつす●写本・書写・転写・筆写・複写・模写　❷そっくりそのままにあらわすこと●写実・写真・写生・描写　❸写真や映画にとること●大写し・映写・試写会・実写

なりたち

家のやねの形。

と

「かささぎ」という鳥の形。

で

写

かささぎは、天の川に橋をかけて、おりひめとひこぼしをあわせるといわれることから、家から家へ人やものをうつしかえることだったが、のちに〈かきうつす〉のいみになった。

となえかた

写	ワをかいて（ワかんむり）
写	よこ一
写	たてぼう 5のようにまげ
写	よこぼうながくつきぬける

つかいわけ　黒板の文字をノートに**写**す。鏡に全身を**映**す。

广(まだれ)の部・10画
□その他型／丶(てん)

くん ——
おん コ　波止場には、古い**倉庫**がならんでいる。
　　　　海は資源の**宝庫**だ。
　　　　冷蔵庫をあけたら、ちゃんとしめる。
　(ク)　お寺の**庫裏**へいって、おまんじゅうをごちそうになった。

いみ ❶**くら・ものいれ** ●庫裏・金庫・在庫・車庫・出庫・書庫・倉庫・貯蔵庫・文庫・宝庫・冷蔵庫　❷**公共のおかね** ●公庫・国庫

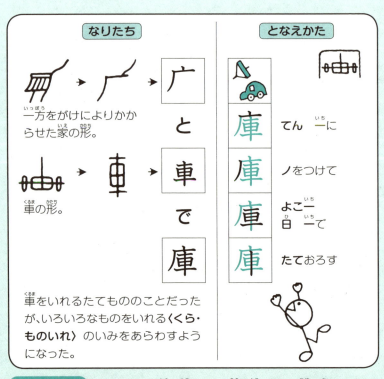

きを　つけよう　庫の「車」の下の横ぼうを、上の横ぼうより長く書く。

广(まだれ)の部・9画
□その他型／丶(てん)

- くん (たび) 見る**度**に、金魚が大きくなる。
  度重なる失敗で、評価が下がる。
- おん ド 二階は部屋の**温度**が高い。
  (ト) 授業中に私語は**ご法度**だ。
  (タク) 母といっしょに、夕飯の**支度**をする。

いみ ❶めもり・ものさし ●緯度・温度・角度・経度・高度・速度・分度器 ❷ていど・ほど ●過度・感度・極度・限度・程度・適度 ❸回数 ●度数・毎度 ❹心の大きさ ●度胸 ❺ようす ●態度 ❻きまり ●制度・節度・法度

きを つけよう 度と にている字…席

广(まだれ)の部・10画
その他型／ヽ(てん)

くん にわ　庭先にスズメがやってきた。
　　　　　学校の中庭のそうじをする。
おん テイ　庭園を見学する。
　　　　　校庭のサクラが、今年もさいた。

いみ ❶にわ●庭石・庭先・庭師・裏庭・中庭・箱庭・前庭・庭園・庭球・校庭・石庭　❷いえのなか●家庭

(なりたち)

一方をがけによりかからせた家の形。→广

よこむきの人の形と、つちと、道をのばした形で、ぎしきをおこなう場所のこと。→廷

广と廷で庭

宮中のぎしきをおこなう場所に、家の形をつけて中庭のこと。いまは〈にわ〉のことをあらわす。

(となえかた)

庭　てん 一
　　ノをつけ
庭　ノに
庭　士をかいて
庭　フをつづけたら
庭　右ばらい

きを つけよう　庭の「廷」を「延」としない。

日(ひ)の部・9画
左右型／1(たてぼう)

くん ——
おん ショウ

母の誕生日は、**昭**和五十五年九月十一日だ。
昭和新山は、**昭**和時代になってできた北海道の火山だ。
昭和基地は、日本の南極観測基地だ。
昭和天皇は、生物学者としても知られている。

いみ あきらか・かがやく ● 昭示・昭和・昭和基地・昭和新山・光昭

なりたち

お日さまの形。

ひれふしている人の形と、口の形で、まねきよせること。

日と召で昭

日の光をまねきよせるということで、太陽の光が、あかるくてりかがやくことから〈あきらか・かがやく〉のいみをあらわす。

となえかた

日をかいて

かぎまげはねて

ノをかいて

したにかん字の口つける

きを つけよう 昭の「刀」を「力」としない。

日（ひ）の部・13画
左右型／1（たてぼう）

くん くらい　暗い夜道は、一人で歩かないほうがよい。
　　　　　　母のけがは、わたしの心を暗くした。
おん アン　　風が急に強くなり、あっというまに空に暗雲がたれこめた。
　　　　　　スパイが暗号をとく。

いみ ❶くらい・くらやみ ●暗雲・暗影・暗黒・暗室・暗転・暗幕・暗夜・明暗　❷おろかなこと ●暗愚・暗君　❸ひそかに・こっそりと ●暗号・暗殺・暗示・暗躍　❹みないでする・そらでおぼえる ●暗記・暗算・暗唱

なりたち

お日さまの形。
口からでることばの形で、音のこと。

くちびるのすきまからでる声のように、日の光がもののすきまからわずかしかでないことで〈くらい〉ことをあらわす。

となえかた

日をかいて
てん　一
ソ　一
日をしたに

さんこう　暗の反対の意味の字…明

日(ひ)の部・12画
□ その他型／1(たてぼう)

くん あつい　夏の暑いなか、海で毎日およいだ。
　　　　　夏は暑苦しい夜が多くて、つらい。
おん ショ　　暑中みまいのはがきを、友だちにだした。
　　　　　暑気ばらいに、スイカわり大会をする。

いみ ❶あつい・あつさ ●暑気・寒暑・酷暑・残暑・避暑　❷夏の土用（立秋までの十八日間）●暑中・大暑

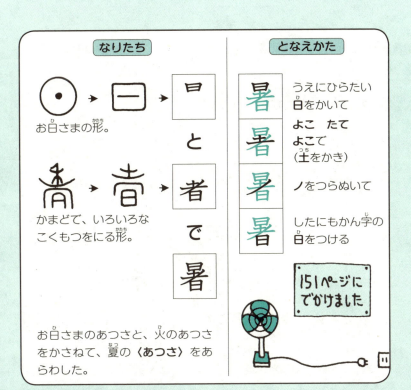

さんこう　　暑の反対の意味の字…寒

月(つき)の部・12画
左右型／一(よこぼう)

- くん ——
- おん キ　かりた本を**期日**までに返す。
  - **期待**に胸をふくらませる。
- (ゴ)　弁慶は、悲壮な**最期**をとげた。
  - **一期**の思い出に旅行をする。

いみ ❶**きめられたとき・おり**●期間・期限・期日・期末・一学期・一期・延期・後期・最期・時期・前期・短期・長期・定期・任期・末期・満期　❷**まつ・あてにする**●期成・期待・所期・予期

なりたち

台に四角いものが、きちんとのっている形。

月の形。

月のみちかけは、きそくただしくきちんとしている。そこから〈**きめられたとき・おり**〉といういみになり、きめられたときをまつことから〈**まつ・あてにする**〉のいみにもなった。

となえかた

期	よこ
期	たて　たてで
期	よこ2本
期	**よこぼうながく**ハをかいて
期	右におおきく月をかく

つかいわけ　入学の**時期**。**時季**はずれの雪。**時機**をうかがう。

日（ひ）の部・8画
上下型／一（よこぼう）

くん むかし　この村には、昔からの風習が残っている。
　　　　　　　父の昔話には、もう、あきあきした。
おん （セキ）　昔日のおもかげが残る町並みがつづく。
　　　（シャク）「今昔物語集」を読む。

いみ ながい年月をへだてたずっとまえ・すぎさった日日 ● 昔語り・昔話・昔風・大昔・一昔・昔日・昔年・今昔

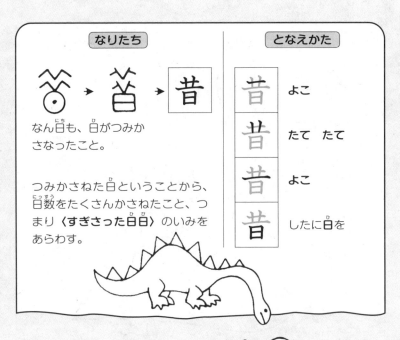

なりたち

なん日も、日がつみかさなったこと。

つみかさねた日ということから、日数をたくさんかさねたこと、つまり〈すぎさった日日〉のいみをあらわす。

となえかた

昔　よこ
昔　たて　たて
昔　よこ
昔　したに日を

さんこう　昔の反対の意味の字…今

川(かわ)の部・6画
左右型／丶(てん)

- **くん** (す) 河口の三角州が、海のほうにのびてひろがる。
- **おん** シュウ 九州には七つの県がある。

いみ ❶す・かわのなかす ●三角州・中州 ❷大きなしま ●九州・本州 ❸日本のむかしの国をさすことば ●奥州・信州・武州 ❹大陸のよび名 ●欧州・豪州・六大州 ❺外国の行政上の地域区分 ●ワシントン州

なりたち

川のなかに、土やすながたまった形。

川のなかに土やすながたまり、島ができたようすから〈なかす〉のいみになり、水にかこまれた土地・島・大陸などをさすことばになった。

となえかた

州	てん
州	ノ(をたてて)
州	てん
州	たて
州	てん　たてぼう

クイズ ● □角州 ● □州地方 それぞれの□に入る漢数字は?

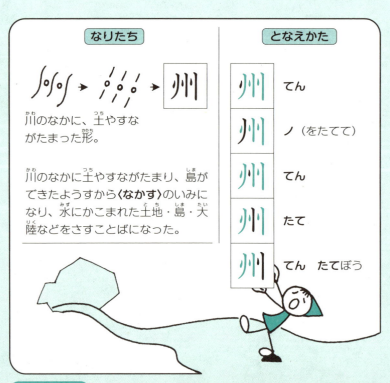

田(た)の部・5画
□その他型／丨(たてぼう)

くん もうす　父が、みなさんによろしくと申しておりました。
　　　　　　　参加希望者は、係まで申し出ることになっている。
おん (シン)　海外旅行にいくことになり、パスポートの申請をする。
　　　　　　　税務署に収入を申告する。

いみ つたえる・のべる・もうしてる ● 申し送り・申し開き・申告・申請・具申・上申・答申・内申書

なりたち

いなびかりの形。

いなびかりは、空からのびて地にとどくことから〈つたえる・のべる〉のいみをあらわす。

となえかた

申　たて
申　かぎ
申　よこ
申　よこ
申　たてながく

今は、いなびかりのいみには、つかってないよ

さんこう　申は、十二支の9番目でサルをあらわす。

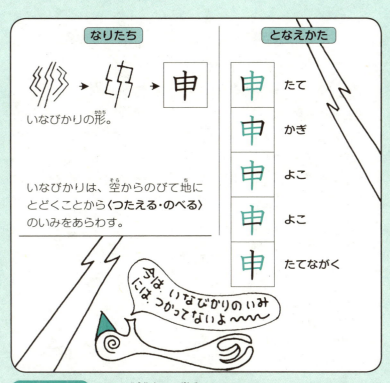

穴(あな)の部・7画
上下型／丶(てん)

くん (きわめる) 　ぼくは学者になって、学問を**究**めるのが目標だ。
おん キュウ 　バクテリアの研**究**をする。
　　　　　　　このプロジェクトの**究**極の目的は、人類の幸福だ。
　　　　　　　事件の真相を**究**明する。

いみ ❶きわめる・さいごまでしらべる ● 究明・学究・研究・探究・追究・論究　❷きわまり・さいごにたっするところ ● 究極

なりたち

ほらあなの形。

うでをまげる形から、行き止まりをあらわし、一の位の数の、いちばんさいごのこと。

穴 と 九 で 究

あなのいちばんさいご、つまりおくのことから、おくまでしらべるいみになり〈きわめる〉ことをあらわした。

となえかた

究　ウをかいて
究　ハの右まげて
究　すうじの九

つかいわけ　真理を**追究**する。幸福を**追求**する。

土（つち）の部・7画
左右型／一（よこぼう）

くん さか　坂の多い町をさんぽする。
　　　　　雪の坂道を、そりですべりおりた。
　　　　　下り坂をおりきったところに、ケーキ屋さんがある。
おん （ハン）急坂をいっきにかけおりた。
　　　　　大型のトレーラーが、登坂車線を走っている。

いみ さか・さかみち ● 坂道・下り坂・上り坂・坂路・急坂・登坂（登坂）

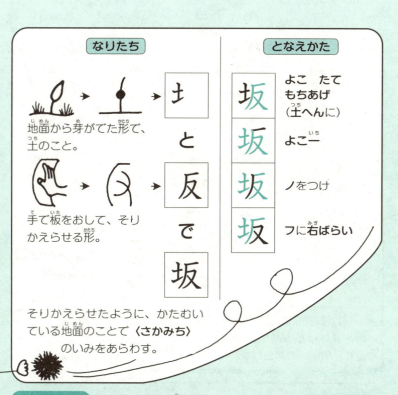

きを　つけよう　坂と にている字…阪

147

水(みず)の部・8画
左右型／丶(てん)

くん そそぐ　コップに水を注ぐ。
　　　　　先生が指さすほうに目を注ぐ。
おん チュウ　インフルエンザの予防接種の注射を受けた。
　　　　　おやつの食べすぎに注意。

いみ ❶そそぐ・つぎこむ●注射・注水・注入・注油　❷心や目をひとつのところにむける●注意・注視・注目　❸わかりやすくせつめいする●注記・注釈・脚注・頭注　❹ちゅうもんする●注文・受注・特注・発注

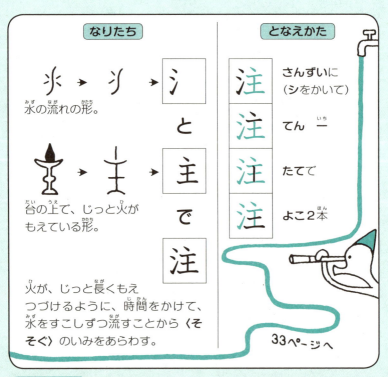

クイズ　□に油を注ぐ　□に入るのは？　①口　②目　③火

水(みず)の部・8画
左右型／丶(てん)

くん あぶら　衣服についた油のよごれ。
　　　　　　はたらきすぎて、油がきれたよ。
　　　　　　友だちと油を売っていたので、帰宅がおそくなった。
おん ユ　　現代生活に、石油は欠かせない。
　　　　　　下級生とはいえ、油断できない実力をもっている。

いみ あぶら ● 油絵・油紙・ごま油・菜種油・油煙・油脂・油断・油田・軽油・重油・石油・大豆油・灯油

なりたち

水の流れの形。

と

えだにたれさがっている、木の実の形。

で

木の実をしぼってとった液体で、〈あぶら〉のこと。

となえかた

油　さんずいに（シをかいて）
油　たて
油　かぎ
油　たてで
油　よこ2本

きを つけよう　油の「由」を「田」「甲」「申」としない。

水(みず)の部・8画
左右型／丶(てん)

- **くん** なみ　風向きがかわり、**波**がしずまる。
　　　　　人の**波**をかきわけて歩く。
- **おん** ハ　今年いちばんの**寒波**がやってくる。
　　　　テレビの放送は、**電波**で送信されている。

いみ ❶なみ● 波乗り・波間・荒波・大波・小波・土用波・波頭・波紋・波浪・波止場　❷なみのようにうごく・なみにたとえられるもの● 波及・波状・波長・波動・音波・寒波・電波・余波
●**特別な読み**…(波止場)

なりたち

水の流れの形。

動物のかわを手ではぐ形。

で

波

川の水のうごきが、なめすまえの動物のかわのように、でこぼこしていることで〈なみ〉のいみをあらわす。

となえかた

波　さんずいに(シをかいて)

波　ノをたて

波　よこはね

波　たてかいて

波　そしてさいごにフに右ばらい

きを　つけよう　　波と にている字…破

水（みず）の部・8画
左右型／ヽ（てん）

くん およぐ　海で泳ぐのは、きもちがよい。
　　　　　　　市の大会で、千五百メートルを泳ぎ抜く。
おん エイ　　市の水泳大会にでて、三位に入賞した。
　　　　　　　この海岸は遊泳禁止区域だ。

いみ およぐ・およぎ ● 背泳ぎ・立ち泳ぎ・平泳ぎ・泳者・泳法・遠泳・
　　　　競泳・水泳・背泳・遊泳・力泳

なりたち

水の流れの形。

と

川の流れが集まって、とおい海まで流れている形。

で

水の流れにのって、長い時間、水に入っていることで〈およぐ〉のいみをあらわす。

となえかた

さんずいに
（シをかいて）

てんうち
かぎはね

フをかいて

左にはらって

右ばらい

暑い人は どうぞ

きを　つけよう　泳の「永」を「氷」としない。

水(みず)の部・12画
左右型／丶(てん)

くん あたたか　温かな家庭をきずく。
　　　 あたたかい　冬は毎朝、温かい牛乳をのむ。
　　　 あたたまる　外でひえたので、ふろで温まる。
　　　 あたためる　ひそかにアイデアを温める。
おん オン　　旅先で温泉に入る。
　　　　　　　　春先は気温の変化が大きい。

いみ ❶**あたたかい**●温室・温床・温水・温泉・温帯・温暖　❷**あたたかさ**●温度・気温・検温・水温・体温・平温　❸**おだやか・おとなしい**●温厚・温順・温良・温和　❹**ならう**●温故知新・温習　❺**大切にする**●温存

なりたち

氷 → 氵 → シ
水の流れの形。

と

△ → 呈 → 旦
かまどの上のなべで、たべものをむしている形。

で

温

ひえたたべものを、おゆをわかしてゆげであたためることで〈あたたかい〉のいみをあらわす。

となえかた

温　さんずいに（シをかいて）
温　日をかいて
温　皿｛たて　かぎ／たて　たて／よこぼうながく｝

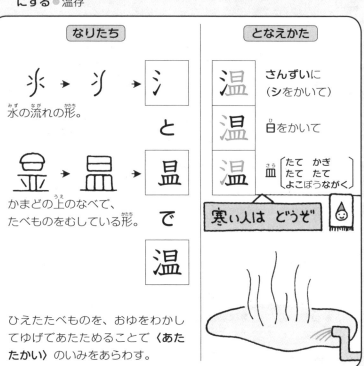

寒い人は　どうぞ

つかいわけ　温かい料理を食べる。暖かい春の一日。

水（みず）の部・12画
左右型／丶（てん）

くん ゆ　湯気で窓ガラスがくもる。
　　　　湯につかると、リラックスする。
おん トウ　ガラスのコップに熱湯をそそいだら、われちゃった。
　　　　家族みんなで銭湯にいくのは楽しいね。

いみ ❶ゆ・水をわかしたもの● 湯気・湯煙・湯冷まし・湯たんぽ・湯茶・しょうが湯・温湯・熱湯　❷ふろ・ふろ場● 湯上がり・湯冷め・湯殿・湯船・銭湯　❸おんせん● 湯元・湯治

なりたち

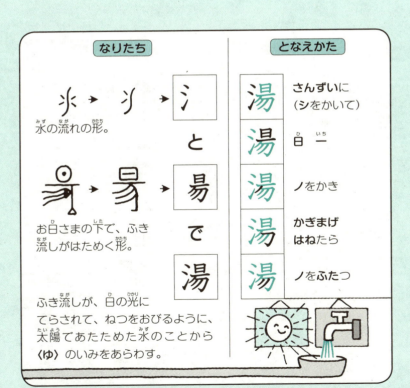

水の流れの形。

お日さまの下で、ふき流しがはためく形。

ふき流しが、白の光にてらされて、ねつをおびるように、太陽であたためた水のことから〈ゆ〉のいみをあらわす。

となえかた

さんずいに
（シをかいて）

白 一

ノをかき

かぎまげ
はねたら

ノをふたつ

きを　つけよう　湯の「昜」を「昜」としない。

水(みず)の部・9画
左右型／丶(てん)

- **くん** ——
- **おん** ヨウ　ヨットで太平洋を横断する。
　　　　洋食は、ナイフとフォークで食べる。

いみ ❶大きな海● 洋上・遠洋漁業・海洋・大西洋・太平洋・大洋・南氷洋・北洋　❷ひろびろとしたようす● 洋々　❸せかいを東と西にわけたそれぞれ● 西洋・東洋　❹西洋の・西洋風の● 洋画・洋学・洋楽・洋館・洋室・洋酒・洋書・洋食・洋装・洋品・洋間・和洋

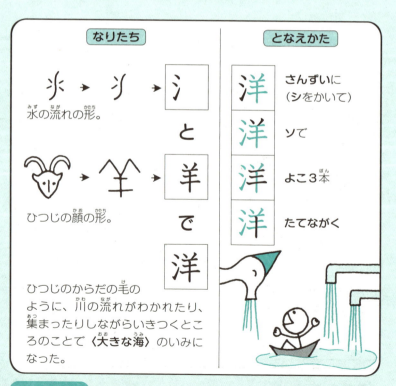

きを　つけよう　洋の「羊」を「半」としない。

水(みず)の部・10画
左右型／ヽ(てん)

くん ながれる　小川がさらさらと**流れる**。
　　　 ながす　　スポーツをして、あせを**流す**。
おん リュウ　　洪水で家が**流失**した。
　　　 (ル)　　　世の中は**流転**して、とどまることはない。

いみ ❶**ながれる**●流れ星・流失・流出・流水・流星・流氷・海流・寒流・急流・水流・暖流・放流　❷**遠くへおいやる罪**●流罪・流人　❸**ひろまる**●流行・流通・流布　❹**さまよう**●流民・流離・流転・流浪　❺**やりかた**●流儀・流派・自己流・他流試合　❻**階級**●一流・上流　❼**形にならずにおわる**●流会　❽**すらすらいく**●流麗

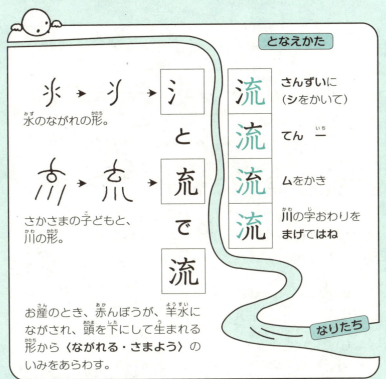

となえかた

さんずいに
(シをかいて)

てん 一

ムをかき

川の字おわりを
まげてはね

なりたち

水のながれの形。

さかさまの子どもと、川の形。

シと㐬で流

お産のとき、赤んぼうが、羊水にながされ、頭を下にして生まれる形から〈ながれる・さまよう〉のいみをあらわす。

きを　つけよう　流の「し」を「い」としない。

水(みず)の部・11画
左右型／丶(てん)

くん ふかい　　よくが深い人は、きらわれる。
　　　ふかまる　ノートに書きうつすと、知識が深まる。
　　　ふかめる　復習をして、理解を深める。
おん シン　　深呼吸を二回くりかえす。
　　　　　　　深夜にぶきみな足音がした。

いみ ❶ふかい・ふかさ●深海・深呼吸・深浅・深度・水深　❷おくぶかい●深遠・深奥・深刻・深山・深窓・深長　❸こい●深情け・深紅・深緑　❹まっさかり●深更・深夜

なりたち

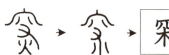

水の流れの形。

あなと手と火かきぼうをかさねた形。

と 罙 で 深

かまどのおくの火だねをとるには、火かきぼうでかきださなければならない。おなじように、水面から水底までのきょりが長いことから〈ふかい・ふかさ〉のいみをあらわす。

となえかた

深　さんずいに（氵をかいて）

深　ワをかいて

深　八の字まげて

深　かん字の木

さんこう　深の反対の意味の字…浅

水(みず)の部・7画
左右型／丶(てん)

- **くん** きめる　文化発表会の劇の主役を**決める**。
　　　　きまる　遠足の日が**決まった**。
- **おん** ケツ　　サッカーの**決勝戦**をみた。
　　　　　　　　父はPTA会長への立候補を**決意**した。

いみ ❶きる・きれる・こわれる●決河・決壊・決裂　❷きめる・きまる●決意・決議・決勝・決心・決戦・決断・決着・決定・解決・議決・裁決・多数決・判決・否決・未決　❸きっぱり●決起・決行・決死・決然

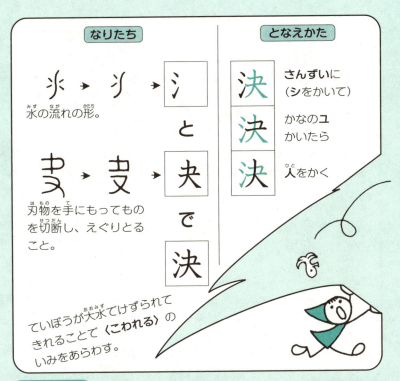

きを　つけよう　「**決める**」は「**決る**」としない。

水(みず)の部・12画
左右型／丶(てん)

くん みなと　大きな船が、港に入ってきた。
　　　　　　　山からみる港町の夜景はすばらしい。
おん コウ　　漁港は大漁のはたでいっぱいだ。

いみ ❶みなと・船が出入りするところ● 港町・開港・帰港・寄港・漁港・軍港・出港・入港・貿易港・母港・良港　❷飛行機などの発着するところ● 空港

なりたち

氷 → 彡 → シ
水の流れの形。

と

巷 → 巷 → 巷
たくさんの手で、ものをもつ形と人の形で、たすけあって住む村のこと。

で

港

「巷」は人がたすけあって住んでいる村のことで、水辺にそった村のことから、船の出入りする〈みなと〉のいみになった。

となえかた

港　さんずいに
　　（シをかいて）

港　よこ　たて
　　たてで

港　よこをかき

港　八をかいたら

港　コにたてまげ
　　はねる

きを つけよう　港の「己」を「巳」としない。

水(みず)の部・12画
左右型／ヽ(てん)

くん みずうみ　湖でボートに乗って遊んだ。
　　　　　　　　湖がこおると、歩いて向こう岸まで行ける。
おん コ　　　　湖上に出る月は美しい。
　　　　　　　　湖底にしずんでいるという、古代文明の宝物。

いみ みずうみ ● 湖岸・湖上・湖水・湖底・湖畔・湖汀・湖面・塩水湖・火口湖・淡水湖

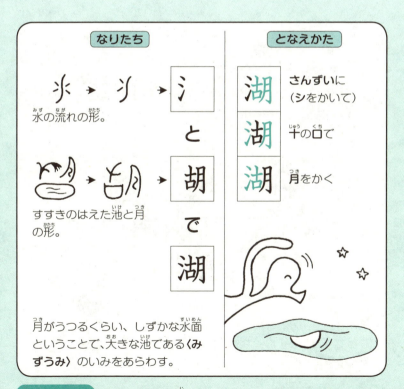

なりたち

氷 → シ → 氵
水の流れの形。

→ 胡 → 胡
すすきのはえた池と月の形。

氵 と 胡 で 湖

月がうつるくらい、しずかな水面ということで、大きな池である〈みずうみ〉のいみをあらわす。

となえかた

さんずいに
（シをかいて）

十の口で

月をかく

きを　つけよう　湖と　にている字…潮

水(みず)の部・10画
左右型／丶(てん)

くん きえる　風で、ろうそくの火が消える。
　　　 けす　　部屋のライトを消す。
おん ショウ　火事の現場へ、消防車が急行した。

いみ ❶火や電気などをけす・火がきえる●消火・消灯・消防　❷へる・なくなる・おとろえる●消印・消化・消去・消失・消毒・消費・消滅・解消　❸ひかえめなこと●消極的
●**送りがなに注意**…「消印」は、「消し印」とは書かない。

なりたち

氺 → 氵 → シ
水の流れの形。

と

宀(小) → 肖 → 肖
「小」という字と肉の形で、小さくなること。

で

消

水がだんだんすくなくなっていくことで〈きえる・なくなる〉のいみをあらわす。

となえかた

消　さんずいで（シをかいて）

消　たてぼう

消　ソをかき

消　月をかく

きを　つけよう　消の「ソ」を「ツ」としない。

水(みず)の部・13画
左右型／丶(てん)

くん ——
おん カン

漢字を楽しくおぼえよう。
漢方薬をのんで病気をなおす。
夜道の一人歩きは、暴漢に注意。
漢数字で、百まで書いてみる。

いみ ❶むかしの中国の王朝のひとつ●漢代・後漢・前漢 ❷中国のこと●漢学・漢語・漢詩・漢字・漢数字・漢籍・漢文・漢方薬・和漢 ❸おとこの人●悪漢・好漢・無頼漢・暴漢・熱血漢 ❹天の川●銀漢・天漢

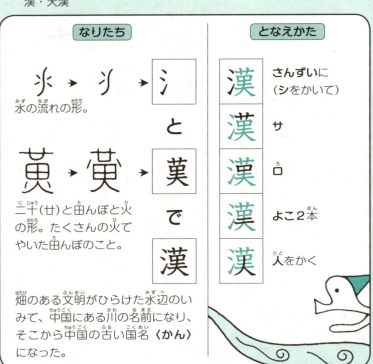

なりたち

水の流れの形。

二十(廾)と田んぼと火の形。たくさんの火でやいた田んぼのこと。

畑のある文明がひらけた水辺のいみで、中国にある川の名前になり、そこから中国の古い国名〈かん〉になった。

となえかた

さんずいに（氵をかいて）
サ
口
よこ2本
人をかく

クイズ 小学校三年生で習う漢字の数は？ ①100 ②200 ③300

水(みず)の部・5画
□その他型／1(たてぼう)

- **くん** こおり　湖に**氷**がはった。
  わたしは、**かき氷**がだいすきだ。
- （ひ）　雪まじりの**氷雨**がふる。
- **おん** ヒョウ　きょうの最低気温は、**氷点下**三度だった。
  春になると、**流氷**が北の海からやってくる。

いみ こおり・こおる ● 氷砂糖・氷水・かき氷・氷雨・氷河・氷結・氷山・氷雪・氷霜・氷柱・氷点・結氷・製氷・薄氷・流氷

なりたち

⺀⺀⺀ → 冰 → 氷

こおりはじめのすじの形と、水の形。

水がこおって、かたくなることで〈こおり・こおる〉といういみをあらわす。

となえかた

氷　たてぼうはねて

氷　てん
　　フをかいて

氷　左ばらいに

氷　右ばらい

クイズ　氷山の一□　□に入るのは？　①点　②石　③角

宀(うかんむり)の部・12画
上下型／丶(てん)

- **くん** さむい　寒い冬が、とうとうやってきた。
  きょうは、ふところが寒い。
- **おん** カン　寒暖計で室温をはかる。
  日本列島を、寒冷前線が通過中だ。

いみ ❶さむい・さむさ●寒気・寒空・寒気・寒帯・寒暖・寒天・寒波・寒風・寒流・寒冷・厳寒　❷こよみの上でいちばん寒いとされる三十日間・寒中・小寒・大寒　❸さむざむしい・まずしい●寒村・貧寒　❹ぞっとする・おそれる●寒心

なりたち

篆→寒→寒

やねと草と人と、こおりのすじの形。

冬になると地面がこおるので、草をしいて、人がその上にねたことから〈さむい〉のいみになった。

となえかた

寒　ウかんむり
　　（ウをかいて）

寒　よこ たて
　　たてで
　　よこ2本

寒　八の字かいて

寒　チョン　チョン
　　つける

152ページへ
どうぞ

さんこう　寒の反対の意味の字…暑

山(やま)の部・8画
上下型／1(たてぼう)

くん きし　むこうの岸まで、十メートルくらいある。
　　　　川岸のナノハナがいっせいにさいた。
おん ガン　家族で海岸をさんぽした。
　　　　お彼岸の日に、おはぎを食べた。

いみ きし・みずぎわ ●岸辺・川岸・向こう岸・岸上・岸頭・岸壁・右岸・沿岸・海岸・湖岸・接岸・対岸・彼岸・両岸(両岸)・河岸
●**特別な読み**…(河岸)

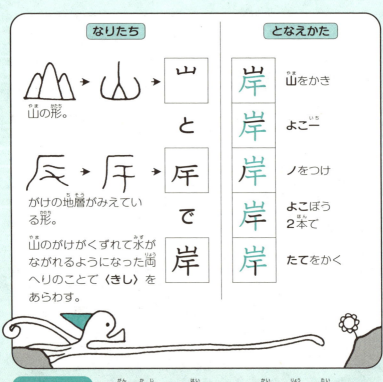

クイズ □岸の火事 □に入るのは？ ①海 ②両 ③対

山(やま)の部・10画
□ その他型／ノ(ななめぼう)

くん しま　瀬戸内海には、小さな島がたくさんある。
　　　　　遠くに島影がみえる。
　　　　　日本は、四方を海にかこまれた島国だ。
おん トウ　この無人島には、はじめて人がたずねる。

いみ しま・みずでかこまれた小さいりくち　● 島影・島国・島流し・島守・大島・小島・宝島・島民・遠島・群島・孤島・絶島・半島・無人島・離島・列島

なりたち

おの長い鳥の形と、山の形。

わたり鳥が、海にうかぶ山でやすんだり、すみついたりすることから〈しま〉のいみになった。

となえかた

島　ノに たて
島　ヨをかき
島　よこぼうかいて
島　かぎまげ はねたら
島　山をかく

きを つけよう　島と にている字…鳥

シャに ニムなあに？

ソ天にしんにょう なあに？

さんずいに ユ人は なあに？

こたえは233ページ

《くみたて クイズ》だ。
さあ かんがえよう！

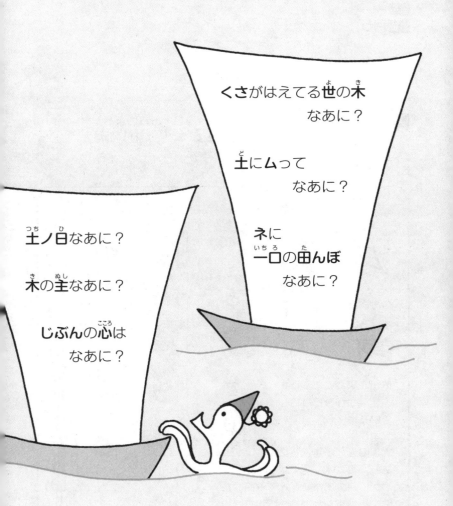

くさがはえてる世の木 なあに？

土にムって なあに？

ネに 一口の田んぼ なあに？

土ノ日なあに？

木の主なあに？

じぶんの心は なあに？

阝(こざとへん)の部・12画
左右型／一(よこぼう)

くん ——
おん ヨウ　アポロンは**太陽**の神だ。
　　　　明るく**陽気**な音楽がきこえる。
　　　　陽春の日ざしがあたたかい。
　　　　電池のプラス極は、**陽極**ともいう。

いみ ❶**日なた・山のみなみがわ**●山陽　❷**日・お日さま**●陽光・太陽・落陽　❸**あたたかい・あかるい**●陽気・陽春・陽性　❹**電気やじしゃくなどのプラス**●陽極・陽電気・陰陽

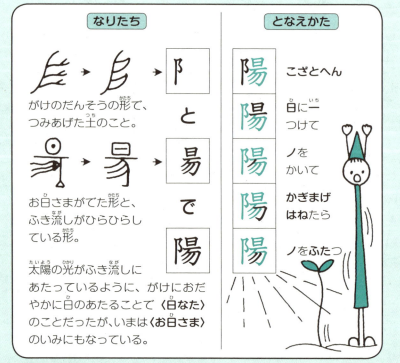

きを　つけよう　陽と　にている字…湯

阝(こざとへん)の部・10画
左右型／一(よこぼう)

くん ―
おん イン

病院に友人のおみまいにいった。
衆議院本会議がひらかれた。
寺院のかねが、町中になりひびく。

いみ ❶役所・おおやけのしごとをするところ● 参議院・衆議院・人事院
❷寺、学校など人のあつまるとくべつなたてもの● 医院・学院・寺院・修道院・僧院・退院・入院・病院 ❸上皇、法皇の居所、またその人● 院政・院宣

なりたち

がけのだんそうの形で、つみあげた土のこと。

やねの形と上にたつ人のこと(一は上のいみ)で、欠点のないこと。

完全に土かべでとりかこんだたてもののことで〈とくべつなたてもの〉のことをあらわす。

となえかた

院 フにつづけて

院 たてぼうながく
（こざとへん）

院 ウかんむりに
（ウをかき）

院 元をかく

きを つけよう 院の「儿」を「ハ」としない。

阝(こざとへん)の部・12画
左右型／一(よこぼう)

くん ―

おん カイ
階段を一段ずつ、かぞえながらあがった。
ぼくの部屋は、**二階**にある。
階級のない、理想の社会。
練習が、つぎの**段階**に進む。

いみ ❶**かいだん**●階段・音階 ❷**たてものの層**●階下・階上・三階建て・地階・二階 ❸**位や身分の上下**●階級・階層・位階・段階

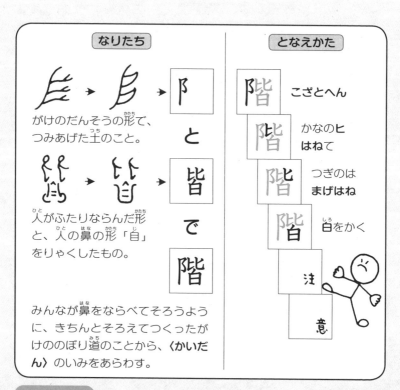

きを つけよう　階の「白」を「日」としない。

阝(おおざと)の部・11画
左右型／ヽ(てん)

くん ―
おん ブ

中学にいったら、**野球部**にはいるつもりだ。
宿題が**全部**おわった。
工作の**部品**がなくなった。

いみ ❶**くわけする・くわけ**●部首・部品・部分・部門・一部・後部・細部・全部・部屋 ❷**人のあつまりを、しごとのなかみなどで、いくつかにわけたもの**●部員・部下・部署・部族・部隊・部長・幹部・支部・総務部・文芸部・編集部・野球部・理学部

●**特別な読み**…部屋

きを つけよう 部の「阝」を「冂」としない。

阝（おおざと）の部・11画
左右型／一（よこぼう）

くん みやこ　イタリアのベネチアは、水の都といわれる。
　　　　　　　京都は日本の古い都だ。
おん ト　　都会はとにかく人が多い。
　　　 ツ　　都合がわるいので、パーティーを欠席する。

いみ ❶**大きなまち**●都会・都市・都心・商都・大都　❷**みやこ・政府のあるところ**●古都・首都　❸**「東京都」のこと**●都営・都下・都政・都知事・都庁・都電・都内・都民・都立　❹**すべて・みんな**●都合・都度

クイズ　都 − 阝 + 日 = ?

石（いし）の部・9画
左右型／一（よこぼう）

くん（とぐ） ほうちょうを研ぐと、よく切れるようになる。
神経を研ぎすまして、まとをねらう。
おん ケン キュリー夫人は、ラジウムの研究をした。
新入社員は、一週間の研修を受ける。

いみ ❶みがく・とぐ ●研ぎ師・研磨 ❷おさめる・きわめる・しらべる
●研学・研究・研修

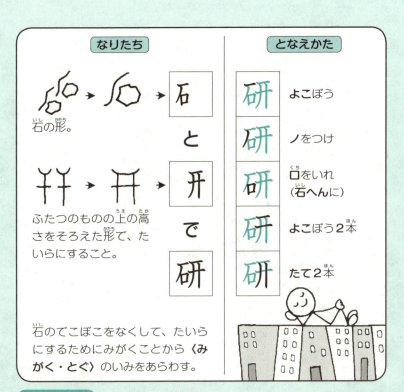

なりたち

石の形。

ふたつのものの上の高さをそろえた形で、たいらにすること。

石のでこぼこをなくして、たいらにするためにみがくことから〈みがく・とぐ〉のいみをあらわす。

となえかた

研 よこぼう
研 ノをつけ
研 口をいれ（石へんに）
研 よこぼう2本
研 たて2本

きを つけよう 研の「石」を「右」としない。

人(ひと)の部・6画
上下型／ノ(ななめぼう)

くん まったく　わすれ物があることに全く気づかなかった。
　　　 すべて　　会場にいた全ての人が、はくしゅを送った。
おん ゼン　　　黒い雲が空全体にひろがる。
　　　　　　　　友人の全快祝いに、プレゼントをおくる。

いみ ❶すっかり・まったく・みんな ● 全員・全快・全額・全集・全勝・全焼・全身・全速力・全体・全敗・全部・全力　❷ひとまとまり ● 全域・全校・全国・全世界・全土　❸かけるところがない ● 安全・完全・健全・万全

なりたち

山のなかに、ほうせきがうまっている形。

ほうせきを山からとってきてみがきあげ、かがやくようにすることで〈すっかり〉のいみをあらわす。

となえかた

 ひとやねに

全 よこ

 たてかいて

全 よこ2本

きを つけよう　全と にている字…金

金(かね)の部・14画
左右型／ノ(ななめぼう)

くん ──
おん ギン　土手には、ススキの穂が**銀色**に光っていた。
　　　　銀行の預金をおろす。
　　　　スキーで**白銀**の世界をすべる。

いみ ❶ぎん・しろがね● 銀色・銀貨・銀紙・銀山・銀製・銀粉・金銀・純銀　❷おかね● 銀行・銀座　❸ぎんのように白くかがやくもの● 銀河・銀世界・銀波・銀髪・銀盤・銀幕・白銀

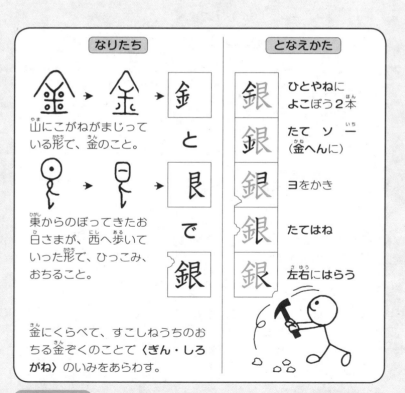

なりたち

山にこがねがまじっている形で、金のこと。

東からのぼってきたお日さまが、西へ歩いていった形で、ひっこみ、おちること。

金にくらべて、すこしねうちのおちる金ぞくのことで〈ぎん・しろがね〉のいみをあらわす。

となえかた

ひとやねによこぼう2本
たて ソ 一(金へんに)
ヨをかき
たてはね
左右にはらう

きを つけよう　銀の「艮」を「良」としない。

金(かね)の部・13画
左右型／ノ(ななめぼう)

くん ――
おん テツ　鉄橋をわたると、駅に着く。
　　　　試合に勝つための鉄則は三つ。
　　　　鉄のようにかたい意志をもって、がんばる。

いみ ❶てつ●鉄橋・鉄筋・鉄鉱・鉄骨・鉄材・鉄製・鉄柱・鉄道・鉄板・鉄棒・鋼鉄・砂鉄　❷かたくてつよいこと●鉄人・鉄心・鉄石・鉄則・鉄壁　❸「鉄道」の略●国鉄・私鉄・地下鉄・電鉄

なりたち

山にこがねがまじっている形で、金のこと。

神においのりをささげるうちに、うっとりして気をうしなうこと。

金だと思ってうっとりとなり、ほりだしてみたら、金ではなく、べつのかたい金ぞくだったということから〈てつ・かたくてつよいこと〉のいみをあらわす。

となえかた

鉄　ひとやねに よこ2本

鉄　たてぼう かいたら

鉄　ソ ーとつづけ (金へんに)

鉄　ノによこ2本

鉄　人をかく

176　**きを つけよう**　鉄の「失」を「矢」としない。

田（た）の部・9画
□その他型／1（たてぼう）

くん ——
おん カイ　星や宇宙の**世界**は、なぞにみちている。
　　　　　　山歩きで、県の**境界**線をこえる。
　　　　　　雨の日の運転は、**視界**がわるいので気をつけよう。

いみ ❶さかい・しきり・くぎり●外界・眼界・境界・限界　❷あるかぎられたばしょ・あたり●下界・視界・世界・俗界・他界・天界・天上界　❸あるひとびとのなかま●学界・業界・芸能界・財界・社交界・政界・文学界

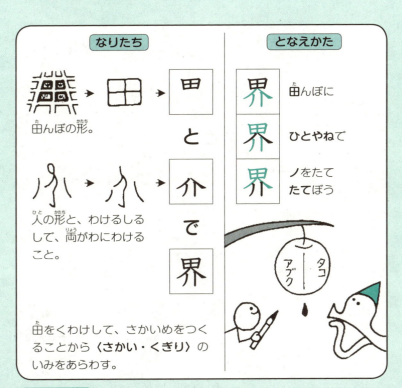

きを　つけよう　界の「田」を「由」としない。

田(た)の部・9画
左右型／丶(てん)

くん はた　おばあちゃんは、**畑作**をつづけて五十年になる。
　　　はたけ　**花畑**はミツバチでいっぱいだ。
　　　　　　父は、**畑違い**の分野から会社をおこし、社長になった。

おん ──

いみ はたけ● 畑打ち・畑作・畑仕事・桑畑・田畑(田畑)・段段畑・茶畑・花畑・豆畑・麦畑・焼き畑

さんこう　畑は、「国字」といって、日本でつくられた漢字。

辰(しんのたつ)の部・13画
上下型／l (たてぼう)

くん ——
おん ノウ　農村の人口がへっている。
ことしは、農作物が豊作だ。
農薬のせいで、ホタルはだんだん少なくなったといわれる。

いみ 田畑をたがやして作物をつくること●農園・農家・農機具・農業・農耕・農作物・農産物・農場・農村・農地・農夫・農民・農薬・小作農・自作農・酪農

なりたち

田んぼと両手の形。→ 曲

二枚貝の足がうごいている形。→ 辰

「辰」はもともと貝が足をだしてうごいている形だったが、むかしの時こくで明け方のことをあらわした。そこから朝はやく田畑にでてしごとをすること、つまり〈田畑をたがやす〉のいみになった。

曲 と 辰 で 農

となえかた

農　たて　かぎ
　　たて　たて
　　よこ2本

農　よこ一
　　ノをつけ

農　よこ2本

農　たてぼう
　　はねたら

農　左右にはらう

クイズ　士農工□　□に入るのは？　①売　②買　③商

火(ひ)の部・9画
上下型／丨(たてぼう)

- **くん** すみ　肉を**炭火**でやく。
　　　　　山のおくに**炭焼き小屋**があった。
- **おん** タン　**石炭**ストーブという器具が、むかしはあったらしい。
　　　　　石こう像のデッサンは、**木炭**をつかってかく。

いみ ❶**すみ** ● 炭火・炭焼き・消し炭・炭化・薪炭・豆炭・木炭・練炭
❷**石炭** ● 炭坑・炭田・黒炭・石炭・泥炭・無煙炭　❸**炭素のこと** ● 炭酸・炭水化物・炭素

なりたち

山の形と、がけの形。

火がもえている形。

戸 と 火 で 炭

山のがけのところにかまをつくり、木をむしやきにしてつくる燃料のことで〈すみ〉のいみをあらわす。

となえかた

炭　山をかき
炭　よこ一
炭　ノをつけ
炭　火をいれる

クイズ　炭 − 火 + 一 + 十 = ？

亅（はねぼう）の部・4画
その他型／一（よこぼう）

くん ―
おん ヨ

夏休みの**予定**をたてる。
明日の**天気予報**が気になる。
旅行の**予約**をする。
学芸会の**予行練習**をおこなう。

いみ あらかじめ・まえもって・かねて ● 予感・予期・予言・予行・予告・予算・予習・予選・予想・予測・予断・予知・予定・予備・予報・予防・予約

なりたち

ヲ → 乛 → 予

いろいろな品物のなかから、ひとつをひっぱる形。

人になにか品物をあげるとき、あれがいいか、これがいいかと考えて、まえもってきめておくことから〈あらかじめ〉のいみになった。

となえかた

予 マをかいて
予 よこぼう はねて
予 たてぼうはねる

船にのって すすんでごらん

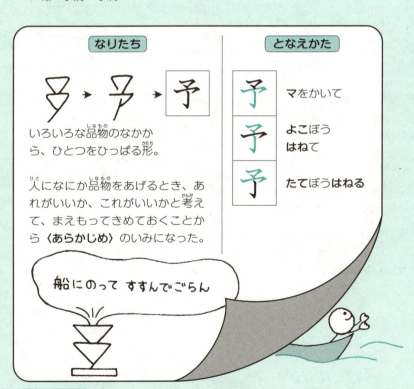

きを つけよう 予の「マ」を「々」としない。

立+日+心=？
日+立+日=？
立+日+十=？

社−土+申=？
草−早+古=？
細−田+東=？

こたえは233ページ

クイズの島(しま)だ！
《けいさん クイズ》をしよう！

皿(さら)の部・5画
□ その他型／| (たてぼう)

くん さら　皿洗いを手伝う。
あたらしい部屋に、絵皿をかざった。
高価なお皿をわってしまい、母にしかられた。

おん ―――

いみ ❶食べものをもるたいらないれもの ●皿洗い・大皿・木皿・小皿・手塩皿・平皿・銘銘皿　❷さらのかたちをしたもの ●受け皿・絵皿・灰皿

クイズ　□を皿にする　□に入るのは？　①口　②目　③耳

血(ち)の部・6画
□ その他型／ノ(ななめぼう)

くん ち　指を切って、血がでた。
　　　　血のでるような、はげしい試合。
おん ケツ　血液センターで献血をする。
　　　　父は血圧が高いので、食事に気をつけている。

いみ ❶ち● 血潮・血止め・鼻血・血圧・血液・血管・血行・血色・血沈・献血・出血・赤血球・白血球・貧血・輸血　❷ちすじ・ちのつながり● 血筋・血縁・血族・血統　❸いきいきしてげんきなこと● 血気・血相　❹はげしい・きびしい● 血戦・血涙・血路・熱血

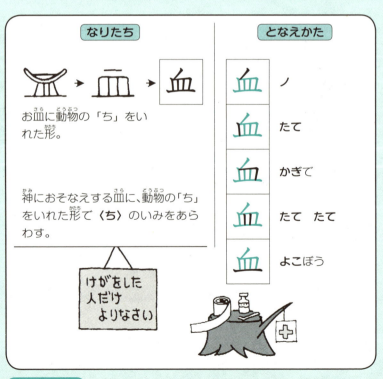

なりたち

お皿に動物の「ち」をいれた形。

神におそなえする皿に、動物の「ち」をいれた形で〈ち〉のいみをあらわす。

けがをした人だけよりなさい

となえかた

血　ノ
血　たて
血　かぎて
血　たて　たて
血　よこぼう

きを つけよう　血と にている字…皿

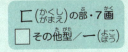

匚(かくし/がまえ)の部・7画
その他型／一(よこぼう)

くん ——
おん イ 　高熱がでたので、医師の診察を受けることにした。
　　　　わたしは医学の道にすすんで、人助けがしたい。

いみ けがやびょうきをなおすこと、またはなおす人 ● 医院・医学・医師・医者・医術・医務室・医薬・開業医・外科医・校医・主治医・女医・内科医・名医

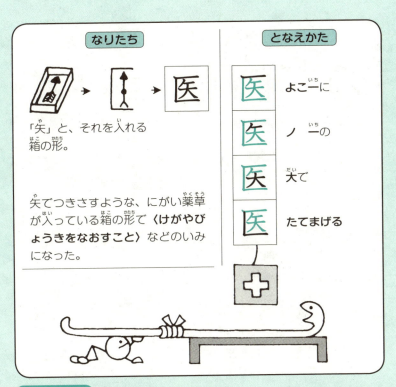

なりたち

「矢」と、それを入れる箱の形。

矢でつきさすような、にがい薬草が入っている箱の形で〈けがやびょうきをなおすこと〉などのいみになった。

となえかた

医　よこ一に
医　ノ 一の
医　大で
医　たてまげる

きを つけよう　医の「矢」を「失」としない。

匚(かくし/がまえ)の部・4画
□その他型／一(よこぼう)

くん ―
おん ク

町が水害の**危険区域**になった。
区画整理の計画に反対する。
きょうから、各**選挙区**で演説がはじまった。
俳句と川柳は、はっきり**区別**されている。

いみ くぎり・しきり・わける・しきる ● 区域・区画・区間・区内・区分・区別・区分け・学区・選挙区・地区

なりたち

なかに小さいしきりをつけた箱の形。

こまかくわけることから〈くぎり・しきり〉のいみをあらわす。

となえかた

区 よこ一
区 メをいれ
区 たてまげる

きを つけよう 区の「L」は一筆で書く。

立(たつ)の部・11画
上下型／丶(てん)

くん ——
おん ショウ　わかりやすい文章を書く。
　　　　　むねのポケットに校章をつける。
　　　　　文化勲章は、毎年十一月三日に授与される。

いみ ❶文書・文や音楽などのひとまとまり●章節・楽章・終章・序章・第一章　❷文書●憲章・詞章・文章　❸しるし・もよう●印章・記章・勲章・校章　❹あきらか●表章

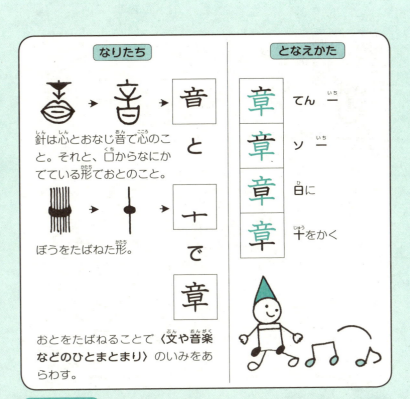

なりたち

針は心とおなじ音で心のこと。それと、口からなにかでている形でおとのこと。

ぼうをたばねた形。

おとをたばねることで〈文や音楽などのひとまとまり〉のいみをあらわす。

となえかた

章　てん 一
章　ソ 一
章　日に
章　十をかく

きを つけよう　章と にている字…童

一(いち)の部・2画
□その他型／一(よこぼう)

くん ───
おん チョウ　二丁目には、本屋さんが二けんある。
　　（テイ）　お客様を丁重にもてなす。

いみ ❶げんきがよいわかもの●園丁・壮丁・馬丁　❷本のひとおり・おもてうら二ページ●落丁・乱丁　❸町のくぎり●一丁目　❹とうふや道具などをかぞえることば●一丁　❺念を入れる●丁重・丁寧

なりたち

水やしるなどが、あふれてる形。

この形から、あふれてるほど〈げんきがよい〉ことをあらわす。

となえかた

丁　よこぼうかいて
丁　たてはねる

きを　つけよう　丁のたてぼうは、横ぼうの上につきでない。

ム(む)の部・5画
□その他型／一(よこぼう)

くん さる　去るものは追わず。
　　　　去る三日の午後は、寒かった。
　　　　頭の痛みがすっかり去った。
おん キョ　去年の夏も、この山にのぼった。
　　　コ　　過去は気にしないようにしている。

いみ ❶さる・いってしまう●去来・死去・辞去・退去　❷ときがすぎてゆく・すぎさる●去年・過去　❸とりのぞく●去勢・消去・除去・撤去

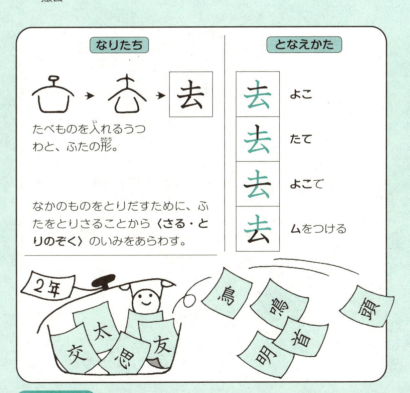

なりたち

たべものを入れるうつわと、ふたの形。

なかのものをとりだすために、ふたをとりさることから〈さる・とりのぞく〉のいみをあらわす。

となえかた

去　よこ
去　たて
去　よこで
去　ムをつける

きを　つけよう　去の「土」を「士」としない。

日（ひらび）の部・6画
その他型／丨（たてぼう）

- **くん** まがる　大雪で木の枝が**曲**がる。
  まげる　針金を、ぐにゃっと**曲**げる。
- **おん** キョク　ノートに**曲線**をかく。
  自分で作詞**作曲**をして歌う。

いみ ❶**まがる・まげる**●曲折・曲線・曲直・曲面・曲解・屈曲　❷**ふし・音楽**●曲目・歌曲・歌謡曲・行進曲・作曲・名曲・謡曲・浪曲　❸**かるわざ**●曲技・曲芸・曲乗り

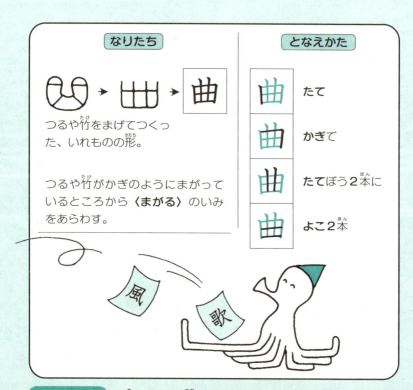

【なりたち】
つるや竹をまげてつくった、いれものの形。

つるや竹がかぎのようにまがっているところから〈まがる〉のいみをあらわす。

【となえかた】
曲　たて
曲　かぎで
曲　たてぼう2本に
曲　よこ2本

きを　つけよう　「曲がる」は「曲る」としない。

里(さと)の部・9画
□その他型／ノ(ななめぼう)

くん おもい　重い荷物をかつぐ。　　かさねる　お皿を重ねる。
　　　かさなる　祝日と日曜が重なる。　え　　三重県の特産品。
おん ジュウ　重大事故が発生する。　チョウ　貴重品をあずける。

いみ ❶おもい・おもさ● 重荷・重工業・重心・重油・重量・重力・過重・体重　❷ひどい・はなはだしい● 重圧・重罪・重傷・重税・重体・重病　❸たいせつにする● 重視・重大・重点・重要・貴重・尊重　❹かさねる● 重ね着・重箱・重複・二重唱・十重二十重

●特別な読み…(十重二十重)

なりたち

米や麦などをふくろに入れて、地面に高くつんだ形。

つんであるふくろがおもいことから〈おもい・おもさ・かさねる〉のいみをあらわす。

となえかた

 ノに よこ一で

 日をかいて

 たてぼう ひいたら

 よこ2本

さんこう　重の反対の意味の字…軽

立(たつ)の部・12画
上下型／丶(てん)

- **くん** (わらべ)　みんなで**童歌**を歌って遊ぶ。
- **おん** ドウ　楽しい**童話**をたくさん読む。
　　　　　父はめがねをとると、**童顔**になる。
　　　　　児童館に行って、トランプをして遊ぶ。

いみ こども・小さい子 ● 童歌・童画・童顔・童子・童女・童心・童謡・童話・悪童・学童・児童・神童・牧童・幼童

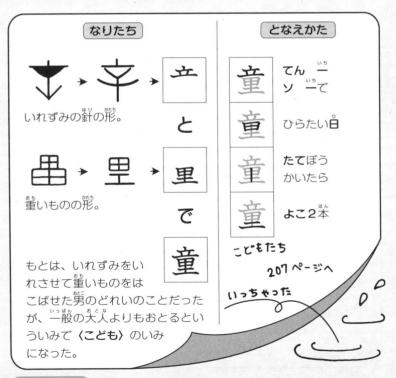

なりたち

いれずみの針の形。

重いものの形。

もとは、いれずみをいれさせて重いものをはこばせた男のどれいのことだったが、一般の大人よりもおとるといういみで〈こども〉のいみになった。

となえかた

てん ― ソー で

ひらたい日

たてぼう かいたら

よこ2本

こどもたち 207ページへ いっちゃった

きを つけよう 童と にている字…章

示(しめす)の部・5画
左右型／丶(てん)

くん ──
おん レイ　おばに入学祝いをもらったので、礼状をだした。
　　（ライ）神を礼賛するクラシック音楽。

いみ ❶れい・おじぎ・うやまうきもちや感謝のきもちをあらわすもの● 礼賛・礼状・敬礼・失礼・謝礼・無礼・目礼　❷れいぎ・作法● 礼儀・礼節・礼法　❸政治や生活でのぎしき● 礼装・礼服・婚礼・祭礼・朝礼

なりたち

神をまつる祭だんの形。

人がひざまずいて、おいのりをする形。

神をまつるとき、からだをまげておじぎをすることから〈おじぎ・れいぎ〉のいみをあらわす。

となえかた

ネをかいて（しめすへんで）
たてまげはねる

きを つけよう　礼と にている字…礼

示(しめす)の部・9画
左右型／ヽ(てん)

- **くん** かみ　父は毎朝、**神**棚をおがむ。
  - (かん)　白い衣の**神**主さん。
  - (こう)　雲の切れめから、**神神**しい光がさした。
- **おん** シン　ギリシア**神**話を読む。目をとじて、精**神**を統一する。
  - ジン　**神**社へ、おまいりする。
- **いみ** ❶かみ●神棚・神主・氏神・神社・神前・神道・神父・神仏・神話・お神酒・神楽　❷かみのようにすぐれた●神業・神技・神童　❸人の力のおよばないもの●神聖・神通力(神通力)・神秘　❹たましい●神経・失神・精神
- ●**特別な読み**…(お神酒・神楽)・〈都道府県〉神奈川

なりたち

神をまつる祭だんの形。

と

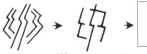

いなずまの形。

で

神

いなずまのような自然におこるふしぎな力をおそれて、かみさまをまつることから〈かみ・たましい〉のいみをあらわす。

となえかた

神　てんかき

神　フをかき

神　トをかいて（しめすへん）

神　ひらたいお日さま

神　たてぼうながく

きを　つけよう　神の「申」を「甲」としない。

示(しめす)の部・13画
左右型／ヽ(てん)

くん ——
おん フク

明るい**幸福**な家庭をきずく。
福引きで大あたりがでた。
福福しい顔の人。
家族みんなの健康を**祝福**する。

いみ ❶しあわせ・さいわい・めでたい● 福運・福祉・福徳・福引き・福利・禍福・幸福・祝福 ❷キリスト教で、神のあたえるたすけ● 福音・福音書

なりたち

神をまつる祭だんの形。

品物がたくさんはいっている、くらの形。

ネ と 畐 で 福

品物のつまっているくらのように、神のめぐみが、ゆたかなことから〈しあわせ〉のいみをあらわす。

こびとにもどれ

となえかた

福 ネをかいて（しめすへん）
福 よこ一
福 口で
福 田をしたに

きを つけよう 福の「ネ」を「ネ」としない。

示(しめす)の部・11画
□その他型／ノ(ななめぼう)

くん まつる　お盆は、先祖を**祭る**行事だ。
　　　 まつり　豊作を神に感謝する、**秋祭り**。
おん サイ　オリンピックはスポーツの**祭典**だ。

いみ ❶まつり・神や人をまつる ●夏祭り・祭事・祭日・祭神・祭典・祭礼・祝祭・大祭　❷にぎやかなもよおし ●学園祭・芸術祭・前夜祭・体育祭・文化祭

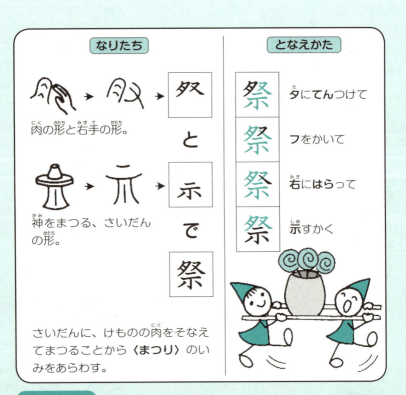

なりたち

肉の形と右手の形。→ 夕又

神をまつる、さいだんの形。→ 示

夕又 と 示 で 祭

さいだんに、けものの肉をそなえてまつることから〈まつり〉のいみをあらわす。

となえかた

祭　夕にてんつけて
祭　フをかいて
祭　右にはらって
祭　示すかく

きを　つけよう　祭の「示」を「朩」としない。

酉（ひよみ）（のとり）の部・10画
左右型／一（よこぼう）

くん くばる　画用紙を配る。
　　　　　事故にあわないように、気を配る。
おん ハイ　　新聞を配達する。
　　　　　セーターとズボンの配色を考える。

いみ ❶わりあてる・くばる●配給・配車・配色・配水・配線・配属・配達・配置・配当・配布・配分・配役・配列・分配　❷とりあわせる・いっしょにする●配合・配色　❸とりしまる・したがえる●配下・支配　❹ながす・島ながしにする●配所・配流

きを　つけよう　配の「己」を「巳」としない。

酉(ひよみの/とり)の部・10画
左右型／ヽ(てん)

くん さけ　酒かすで甘酒をつくる。
　　　 さか　商店街の酒屋のご主人が、町会長をつとめている。
おん シュ　ワインとは、ぶどう酒のことだ。
　　　　　　公園内は禁酒になっている。

いみ さけ・さけをのむこと ● 酒蔵・酒屋・酒かす・甘酒・白酒・酒精・酒造・飲酒・禁酒・清酒・日本酒・ぶどう酒・洋酒・お神酒
● **特別な読み**…(お神酒)

198　**きを つけよう**　酒の「酉」を「西」としない。

豆(まめ)の部・7画
上下型／一(よこぼう)

くん まめ　節分の夜には、父をおににして**豆**をまく。
　　　　工作用に**豆電球**を買った。
おん トウ　**豆腐**は、栄養のある食べ物だ。
　　　ズ　たんぱく質を多くふくむ**大豆**は、畑の肉といわれている。

いみ ❶マメ●豆がゆ・豆まき・豆もやし・黒豆・空豆・南京豆・豆乳・豆腐・大豆・納豆・小豆　❷小さい●豆自動車・豆台風・豆電球・豆本
●**特別な読み**…(小豆)

なりたち

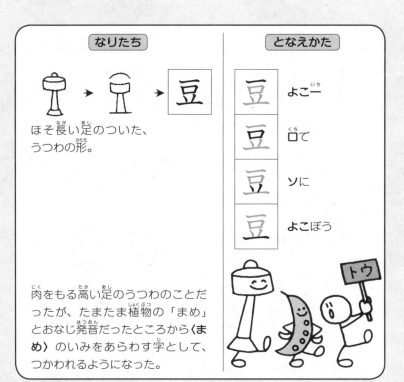

ほそ長い足のついた、うつわの形。

肉をもる高い足のうつわのことだったが、たまたま植物の「まめ」とおなじ発音だったところから〈まめ〉のいみをあらわす字として、つかわれるようになった。

となえかた

豆　よこ一
豆　口で
豆　ソに
豆　よこぼう

きを つけよう　豆のいちばん下の横ぼうは、上の横ぼうより長く書く。

、(てん)の部・5画
□その他型／、(てん)

- くん ぬし　**持ち主**のわからない自転車が、ずっとおいてある。
- おも　物語の**主**な登場人物をおぼえる。
- おん シュ　劇で**主役**を演じる。
- (ス)　らくがきは、**いたずら坊主**のしわざだ。

いみ
❶**ぬし・あるじ**●地主・世帯主・持ち主・家主・主客(主客)・主権・主人・主婦・店主・坊主　❷**中心になる人**●主演・主事・主治医・主将・主筆・主役　❸**かしら・きみ**●主君・主従　❹**おもな・中心となるもの**●主義・主食・主題・主張・主要・主流・主力

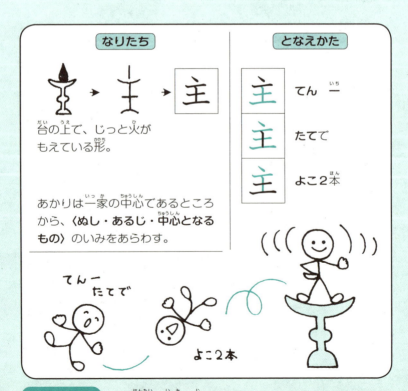

なりたち

台の上で、じっと火がもえている形。

あかりは一家の中心であるところから、〈ぬし・あるじ・中心となるもの〉のいみをあらわす。

となえかた

主　てん ー
主　たてで
主　よこ2本

さんこう　主の反対の意味の字…客

刀(かたな)の部・6画
左右型／一(よこぼう)

くん ―
おん レツ

美術館の前に**行列**ができる。
母が卒業式に**参列**する。
目の前を**列車**がゆっくりと通りすぎる。
一列に**整列**する。

いみ ❶**れつ・ならんでいるもの** ● 列車・列島・行列・系列・後列・前列・隊列 ❷**ならぶ・ならぶなかまにはいる** ● 列記・列挙・列席・参列・整列・陳列・配列・並列 ❸**おおくの** ● 列強・列国

なりたち

ほねの形。
刀の形。
歹 と 刂 で 列

けもののほねと肉を、刀できりわけてならべるところから〈れつ・ならぶ〉といういみをあらわす。

となえかた

列 よこ一
列 歹をかき
列 たてぼう2本でさいごをはねる（りっとうをかく）

クイズ　列 − 刂 + ヒ = ?

矢(や)の部・12画
左右型／ノ(ななめぼう)

くん みじかい
かみの毛を**短**く切る。
姉は気が**短**い。

おん タン
人には、長所と**短所**がある。
運動会で、**短距離**走に出場する。

いみ ❶とぼしい・たりない・おとっている● **短所・短慮** ❷みじかい●
短歌・短気・短期・短距離・短冊・短時間・短縮・短針・短刀・短波・短文・短編・短命・長短

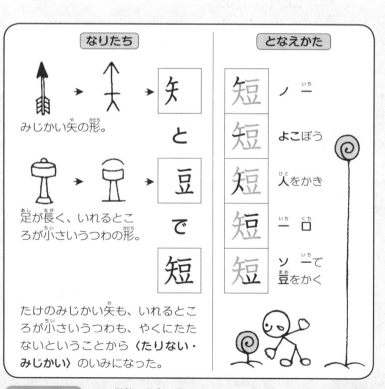

なりたち

みじかい矢の形。

足が長く、いれるところが小さいうつわの形。

矢 と 豆 で 短

たけのみじかい矢も、いれるところが小さいうつわも、やくにたたないということから〈たりない・みじかい〉のいみになった。

となえかた

短　ノ 一
短　よこぼう
短　人をかき
短　一 口
短　ソ 一 で豆をかく

さんこう　短の反対の意味の字…長

木(き)の部・13画
上下型／1(たてぼう)

- **くん**（わざ） 人間の**業**とは思えない。
  職人の**早業**におどろく。
- **おん** ギョウ 将来、きみはどんな**職業**につくつもりかな。
  （ゴウ） 今回の事件で犯人のしたことは、ゆるしがたい**所業**だ。

いみ ❶ しごと ● 早業・業績・業務・営業・家業・休業・事業・職業・副業・本業 ❷ 学問 ● 課業・学業・授業・卒業 ❸ おこない・仏教のごう ● 業病・悪業・罪業・宿業・所業

なりたち

かねやたいこをつるす柱の形。

ものをひっかけて、つるす道具のことから、なしとげるのがむずかしい〈しごと〉のいみになり、さらに〈学問〉のいみにもなった。

となえかた

業	たて　たて
業	ソ　一
業	ソに よこ 3本
業	たてぼう ひいたら
業	左右にはらう

つかいわけ　人間**業**とは思えない。柔道の**技**が決まる。

弋(しきがまえ)の部・6画
□ その他型／一(よこぼう)

くん ―
おん シキ
作業の**方式**を話しあう。
計算式を書いて、問題をとく。
妹を**入学式**につれていく。

いみ
❶ きまったしかた・やりかた ● 形式・古式・正式・方式・本式・洋式・和式
❷ しき・きまりにしたがって、とりおこなう行事 ● 式次・式辞・式場・式典・儀式・結婚式・終業式・卒業式・入学式
❸ 計算のしかた・関係を数字や記号であらわしたもの ● 計算式・公式・数式

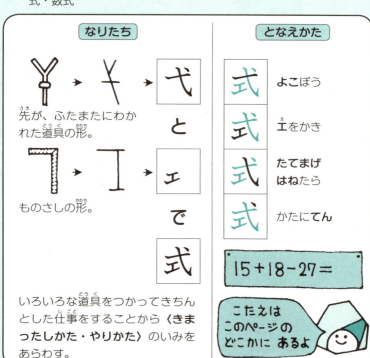

きを つけよう 式と にている字…武

戸（と）の部・8画
左右型／一（よこぼう）

くん ところ　わたしの住んでいる所は雪が多い。
おん ショ　　住所がかわったので、はがきで通知をだす。

いみ ❶ところ・いどころ・ばしょ● 居所（居所）・所在・近所・地所・住所・短所・長所・場所・名所・要所　❷あるきまったことをするところ● 裁判所・関所・変電所・保健所・役所　❸〜するところの● 所感・所作・所持・所信・所説・所属・所得・所有・所用・所要

なりたち

門のかたがわの形で、戸（入り口）のこと。

おのでけずっている形。

おのをもった番兵のいる入り口ということから〈いどころ・ばしょ〉のいみをあらわす。

となえかた

所　よこぼう
　　みじかく
所　コ　ノのとかき
所　ノにノをたてて
所　よこ
所　たてぼう

165ページに住所がかわりました

つかいわけ　所用で外出する。所要時間を計算する。

月(つき)の部・8画
左右型／ノ(ななめぼう)

くん ——
おん フク　おかあさんが**洋服**をつくってくれた。
　　　　兄の意見にしぶしぶ**服従**する。
　　　　かぜぐすりを**服用**する。

いみ ❶したがう・いうことをきく● 服役・服従・服務・感服・屈服・敬服・克服・心服・征服・不服　❷自分のものにする・くすりや茶をのむ● 服毒・服用・着服　❸きもの・ふく● 服装・衣服・私服・制服・洋服・和服

なりたち

ふねの形。

手で前の人の頭をおさえ、命令をきかせる形。

月 と 艮 で 服

命令をうけて任地にふねでいき、役目をはたすことから、命令に〈したがう・いうことをきく〉のいみをあらわし、さらに〈自分のものにする・きもの〉のいみにもなった。

となえかた

服　月をかき
服　かぎまげはねて
服　たてをかき
服　かなのフかいて
服　右ばらい

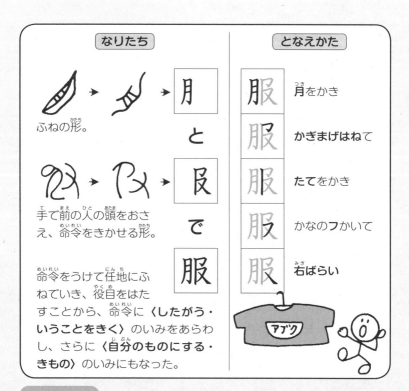

きを つけよう　服の「艮」を「反」としない。

方（ほう）の部・10画
左右型／丶（てん）

くん たび　旅先から、美しい絵はがきがとどいた。
　　　　　　北風は、旅人の服をふきとばそうとした。
おん リョ　夏休みに北海道を旅行した。
　　　　　　家族で海ぞいの旅館にとまる。

いみ たび・たびする・たびびと●旅先・旅路・旅人・長旅・初旅・船旅・旅客（旅客）・旅館・旅券・旅行・旅情・旅装・旅程・旅費

なりたち

めじるしのはたの形と人がならんでいる形。

はたの下に集まり、れつをつくってすすむへいたいのことから〈たび・たびする〉のいみをあらわす。

となえかた

旅　てん 一に
旅　かぎまげはねて
旅　ノをかいて
旅　ノ 一と つづけて
旅　イ くとかく

きを　つけよう　旅と　にている字…族

方(ほう)の部・11画
左右型／丶(てん)

くん ——

おん ゾク　きょうから、**家族**でジョギングをはじめた。
　　　　民族衣装は、どの国のものも美しい。
　　　　親族があつまって、楽しいパーティーをひらいた。

いみ みうち・なかま・みぶん ● 遺族・一族・王族・家族・貴族・血族・皇族・豪族・語族・士族・氏族・種族・親族・同族・部族・民族

なりたち

めじるしのはたの形と矢の形。

はたの下に矢をたくさん集めておいたようすから、おなじ考えや行動をしてまとまるといういみになり、のちに〈みうち・なかま〉のいみをあらわした。

となえかた

族　てん 一に
族　かぎまげはねて
族　ノをかいて
族　ノ 一と つづけて
族　矢をしたに

きを つけよう　族の「矢」を「失」としない。

車(くるま)の部・11画
左右型／一(よこぼう)

くん ころがる　ボールがころころと坂を転がる。
　　　ころげる　転げるようにして階段をかけおりる。
　　　ころがす　丸太を足でけって転がす。
　　　ころぶ　　石につまずいて転ぶ。
おん テン　　　メリーゴーラウンドを日本語でいうと、回転木馬だ。
　　　　　　　誕生日に、新しい自転車を買ってもらった。

いみ ❶うつりかわる・うつしかえる●転化・転居・転業・転勤・転校・転出・転職・転送・転入・移転・栄転・急転　❷ころがる・ころがす●転倒・転落・逆転　❸まわる・まわす●転回・運転・回転・気転・公転・自転・自転車

きを　つけよう　転の「云」の2本の横ぼうは下を長く書く。

車（くるま）の部・12画
左右型／一（よこぼう）

くん かるい　　荷物が軽いので、足どりも軽い。
　　（かろやか）　軽やかなリズムで歌いおどる。
おん ケイ　　　ハイキングには軽装でいくことにした。
　　　　　　　　軽率な行動をしてはいけない。

いみ ❶かるい・かるくする●身軽・軽快・軽金属・軽減・軽傷・軽重・軽量　❷かんたん●軽食・軽装・軽便　❸かるはずみ●軽口・軽挙・軽率・軽薄　❹かるくあつかう●軽視・軽蔑

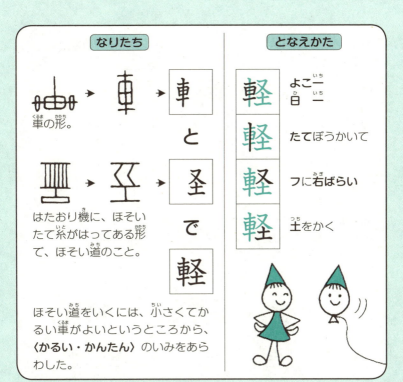

なりたち

車の形。

はたおり機に、ほそいたて糸がはってある形で、ほそい道のこと。

ほそい道をいくには、小さくてかるい車がよいというところから、〈かるい・かんたん〉のいみをあらわした。

となえかた

よこ一
白一

たてぼうかいて

フに右ばらい

土をかく

さんこう　軽の反対の意味の字…重

一(いち)の部・6画
その他型／一(よこぼう)

くん ——
おん リョウ　両親はともに健康だ。
　　　　　千円札を百円玉十こに両替する。
　　　　　新幹線の新しい車両が誕生する。

いみ ❶ふたつ・どちらも ●両足・両院・両替・両側・両眼・両者・両親・両性・両端・両手・両方・両面・両用・両翼・両立　❷むかしのおかねの単位 ●小判一両・千両箱　❸車をかぞえることば ●車両・八両連結

なりたち

車の両りんの形。

車の両りんのように、左右おなじ形のもののことから〈ふたつ・どちらも〉のいみをあらわす。

となえかた

両　よこ
両　たて
両　かぎはね
両　うえからとおった山をかく

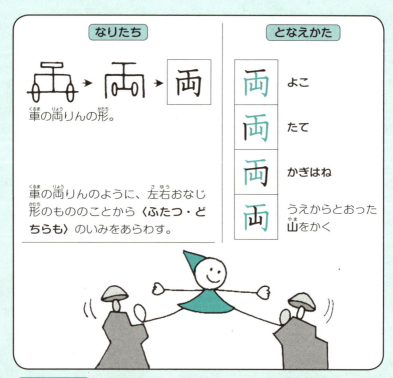

クイズ　両□に花　□に入るのは？　①手　②目　③方

糸(いと)の部・11画
左右型／ノ(ななめぼう)

くん おわる　ノートを使い終わった。
　　　　　　一日の作業が無事に終わる。
　　　おえる　図書館でかりた本を、ぜんぶ読み終える。
おん シュウ　バスに乗って終点までいく。
　　　　　　終電に乗りおくれる。

いみ ❶おわり・おわる ●終業・終結・終止・終始・終日・終身・終戦・終着・終点・終電・終幕・終末・終了・終列車・最終　❷しぬこと ●終生・臨終

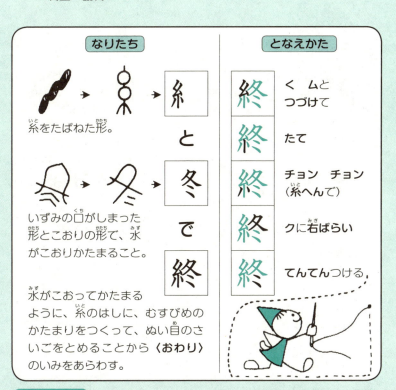

なりたち

糸をたばねた形。

いずみの口がしまった形とこおりの形で、水がこおりかたまること。

水がこおってかたまるように、糸のはしに、むすびめのかたまりをつくって、ぬい目のさいごをとめることから〈おわり〉のいみをあらわす。

となえかた

終　クムとつづけて
終　たて
終　チョンチョン（糸へんで）
終　クに右ばらい
終　てんてんつける

さんこう　終の反対の意味の字…始

糸(いと)の部・9画
左右型／ノ(ななめぼう)

くん ——
おん キュウ　級友をさそって、夏山へのぼった。
　　　　祖父が高級車を買った。
　　　　そろばんの一級に挑戦する。

いみ ❶なかま・組・学年●下級・下級生・級友・学級・上級・上級生・進級・同級　❷くらい・ていど●階級・高級・初級・中級・低級・等級・特級

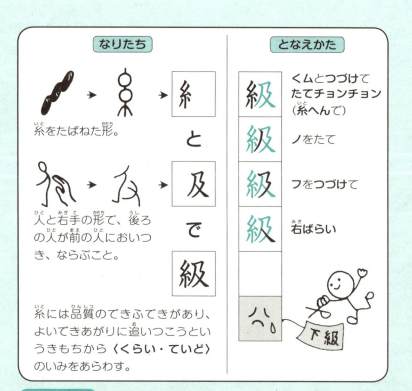

なりたち

糸をたばねた形。

人と右手の形で、後ろの人が前の人においつき、ならぶこと。

糸には品質のできふできがあり、よいできあがりに追いつこうというきもちから〈くらい・ていど〉のいみをあらわす。

となえかた

くムとつづけて
たてチョンチョン
（糸へんで）

ノをたて

フをつづけて

右ばらい

きを　つけよう　級の「及」は一筆で書く。

糸(いと)の部・14画
左右型／ノ(ななめぼう)

- **くん** ねる
  - うどんの生地をよく**練る**。
  - おみこしが町なかを**練り歩く**。
  - スピーチの文章を**練る**。
  - すもうの投げわざを**練る**。
- **おん** レン
  - リコーダーの**練習**をする。
  - クロールの息つぎの**訓練**を受ける。

いみ ❶ねる・こねる ● 練りおしろい・練りようかん・練炭・練乳　❷きたえる ● 練習・練達・教練・訓練・修練・習練・熟練・手練・試練・精練・洗練・鍛練・老練

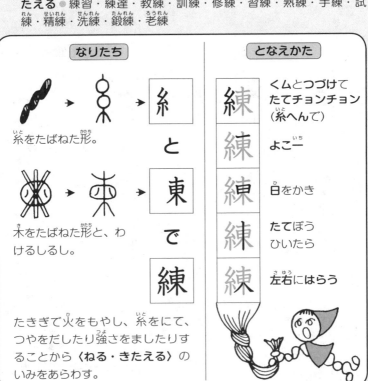

なりたち

糸をたばねた形。

と

木をたばねた形と、わけるしるし。

で

練

たきぎで火をもやし、糸をにて、つやをだしたり強さをましたりすることから〈ねる・きたえる〉のいみをあらわす。

となえかた

- くムとつづけて たてチョンチョン（糸へんで）
- よこー
- 日をかき
- たてぼう ひいたら
- 左右にはらう

きを つけよう　練の「柬」を「束」としない。

糸(いと)の部・14画
左右型／ノ(ななめぼう)

- **くん** みどり　キャベツについた緑色の毛虫。
- **おん** リョク　山は、新緑が目にしみるほどの美しさだった。
食事のあとに緑茶を飲む。
- （ロク）　古い寺院の屋根に、緑青がついている。

いみ みどり・みどりいろ ● 緑陰・緑草・緑地・緑茶・緑土・緑野・緑林・緑化・緑青・深緑・新緑・万緑・葉緑素

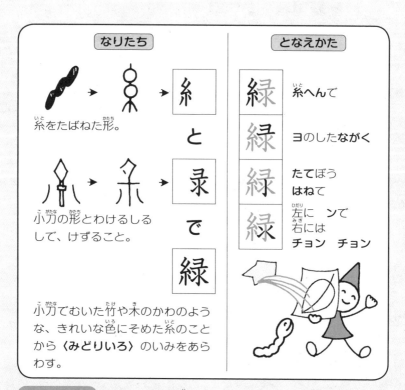

なりたち

糸をたばねた形。

小刀の形とわけるしるしして、けずること。

糸 と 录 で 緑

小刀でむいた竹や木のかわのような、きれいな色にそめた糸のことから〈みどりいろ〉のいみをあらわす。

となえかた

- 糸へんで
- ヨのしたながく
- たてぼうはねて
- 左にンで右にはチョンチョン

きをつけよう　緑とにている字…録

巾〈はば〉の部・11画
左右型／l（たてぼう）

くん ──
おん チョウ　ホームランをうって、エラーを帳消しにした。
　　　　　新しい帳面を二冊買った。
　　　　　祝賀会に参列した人に、記帳をおねがいする。

いみ ❶かや　うえからたれさげたまく●開帳・どん帳・蚊帳　❷ちょうめん●帳消し・帳簿・帳面・学習帳・記帳・雑記帳・写生帳・台帳・通帳・手帳・日記帳・筆記帳
● **特別な読み**…（蚊帳）

きを　つけよう　帳の「巾」のたてぼうは、「冂」の上につきでる。

衣(ころも)の部・8画
□その他型／一(よこぼう)

くん おもて　父は**裏表**のない人だ。
　　　　　　お天気の日は**表**で遊ぶ。
　　あらわす　感謝のきもちを**表**す。
　　あらわれる　言葉にいかりが**表**れる。
おん ヒョウ　本の**表紙**のデザインをかんがえる。
　　　　　　ラベルに価格を**表示**する。

いみ ❶おもて・そとがわ ● 表書き・表口・表沙汰・表向き・裏表・表札・表紙・表皮・表面・表裏　❷あらわす ● 表記・表現・表示・表情・表明・発表　❸ひょう ● 図表・年表

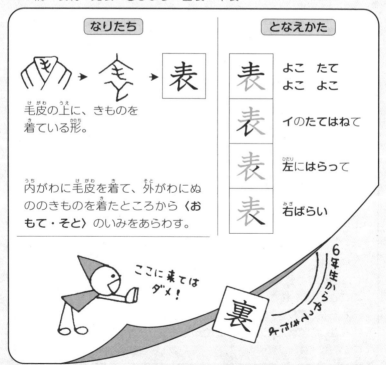

なりたち

毛皮の上に、きものを着ている形。

内がわに毛皮を着て、外がわにぬののきものを着たところから〈おもて・そと〉のいみをあらわす。

となえかた

よこ　たて
よこ　よこ

イのたてはねて

左にはらって

右ばらい

ここに来てはダメ！

裏

6年生からダメな方ばかり

つかいわけ　よろこびを顔に**表**す。正体を**現**す。研究成果を本に**著**す。

玉(たま)の部・11画
左右型／一(よこぼう)

- **くん** たま　兄の投げる**球**は速い。
- **おん** キュウ　ヒヤシンスの**球根**をうえる。
  球技大会で優勝する。
  気球に乗って、草原の夕日をながめる。

いみ
❶たま・たまのかたちをしたもの●球形・球茎・球根・球状・眼球・気球・地球・電球　❷まり・ボール●球技・球審・球速・打球・卓球・直球・投球・軟球・野球　❸「野球」のこと●球場・球団

なりたち

→ 王

宝石の玉をひもでつないだ形で、玉のこと。

→ 求

手のまわりに、毛がはえている形で、毛皮のこと。

王 と 求 で 球

むかし、毛皮でまりをつくったことから、〈たま・たまのかたちをしたもの〉のいみをあらわす。

となえかた

球	よこ たて よこて
球	もちあげて
球	よこ たてはねたら
球	ン くと つづけて
球	かたにてん

つかいわけ　速い**球**を投げる。目の**玉**がとび出る。

一(いち)の部・5画
その他型／一(よこぼう)

- **くん** よ　人種差別をなくす運動を世に広める。
- **おん** セイ　発明王エジソンの名は後世に残る。
　　　　　世紀の大発見をした。
　　　　セ　世界中の国にいってみたい。
　　　　　選手の世代交代がすすむ。

いみ ❶ときのくぎり・じだい●世紀・近世・現世・後世・前世・当世・来世　❷人の一生・人の一代●世襲・世代・二世　❸よ・よのなか●世の中・世界・世間・世情・世相・世帯・世論(世論)・世話・時世・出世・乱世

なりたち

廿 → 卋 → 世

十をみっつかいて、下をつないだ形。

中国ではむかし、三十年を一世といって、年数のながいことをあらわし、また〈ときのくぎり〉のいみもあらわした。

となえかた

世	よこぼうで
世	左にたてぼう 右にたて
世	そこをとじたら
世	たてまげてとめ

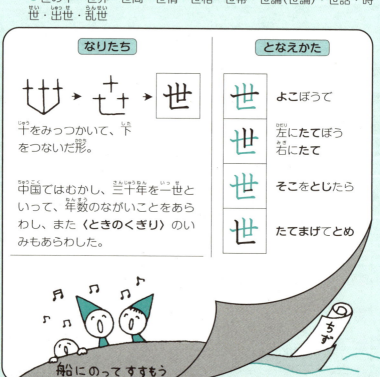

船にのって すすもう

クイズ　立□出世　□に入るのは？　①身　②心　③神

あなたの すきな漢字を
書いてから、つぎのページへ

島に たどりついたよ。

あれ、かにが ないている。
「おなかが、すいたよう、
　モクのジツが、たべたいよう、
　モクのジツが、たべたいよう。」

「モクのジツって なんだろう、
 モクモクした
 わたがしかな？」

　　　　　かには、いやいやしながら
　　　　　いいました。
　　　　「あそこに あるよう。」

「ここに あるのは、
モクのジツじゃなくて
きのみ だよ!」

かには
漢字で書いて、
「木(モク)の実(ジツ)だよ、
　ぷん　ぷん！」

こびとも
漢字で書いて、
「木(き)の実(み)だよ、
　ぷん　ぷん！」

あぶくの こどもが いいました。
「漢字（かんじ）の よみかたには、
ふたとおり あるんだよ。
中国（ちゅうごく）のよみかたを、そのまま
まねた よみかた（音（おん）よみ）と、
日本（にっぽん）のことばを あてはめた
よみかた（訓（くん）よみ）がね。」

木（モク）・実（ジツ）は 音（おん）よみ（音よみは、きいただけでは
なんのことか わかりにくい）。
木（き）・実（み）は 訓（くん）よみ（訓よみは、そのままで
ことばの いみがわかる）。

みんなで、
なかよく たべましょう。

「味(ミ)が よかったなあ！」 「味(あじ)が よかったなあ！」

おなかが いっぱい、
ねむくなっちゃった。

あれあれ、
どっちが、音(おん)よみ？
どっちが、訓(くん)よみ？

こんな つかいかたも ありますよ

くだもの	果物
へや	部屋
まじめ	真面目
まっか	真っ赤
まっさお	真っ青
やおや	八百屋

こびとの みたゆめ、こんなゆめ。

クイズのこたえ

- 漢字なぞなぞ (29ページ)
  プール (「泳ぎ」まわるところなので プール)
  ねこ (「子」が ねているから ねこ)
  あさい (「深い」がぎゃくにべしゃんこで あさい)

- くみたて クイズ (166・167ページ)

  転　　者　　葉
  送　　柱　　去
  決　　息　　福

- けいさん クイズ (182ページ)

  立+日+心=**意**　　社-土+申=**神**
  日+立+日=**暗**　　草-早+古=**苦**
  立+日+十=**章**　　細-田+東=**練**

- かくれんぼ クイズ (207ページ)

  一 二 三 十 中 立 里 口 日
  田 土 工 音 王 早 甲 章 など

あぶくの こどもは、こんなゆめ。

となえかたの やくそく

一	よこぼう（よこー）	｜
一	よこはね（よこぼうはねる）	ｌ・ｌ
、	てん（チョン）	）・ク
亠	てんいち	し
亠	ソいち	し
ㇳ	ノいち	ノ
ㇰ	ノフ（とつづける）	ヿ
ㇱ	ヨのなかながく	ヿ

たてぼう （たて）	フ	かぎまげ （うち）はね	
たてはね （たてぼうはねる）	乙・乁	かぎまげ （そと）はね	
たて（ぼう） まげはね	ろ・る	フにつづける フをつづける	
たてまげ	ノ	もちあげる	
たてまげはねる	ノ	左(ひだり)ばらい	
たてたノ （ノをたてる）	＼	右(みぎ)ばらい	
かぎ	乂・乀	左右(さゆう)にはらう	
かぎはね	乂	りょうばらい	

ながれぼしが　おちる　まよなか。
これが、もうひとりの　こびとのゆめ。

朝(あさ)になりました。
　　　　おや、ながれぼしが
　　　　おちた　木(き)のてっぺんに、
　　　　かぎがひとつ
　　　　ひっかかっていますよ。

漢字(かんじ)をさがすときは
〈さくいん〉の
とびらを
あけてごらん。

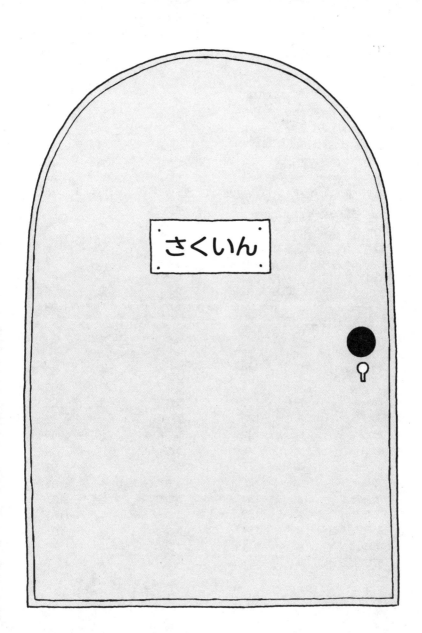

おんくんさくいん

1. 読みのわかっている漢字をしらべるときにつかいます。
2. カタカナは音読み、ひらがなは訓読み、細字は送りがなです。（　）は、小学校で習わない読みです。
3. 五十音順で、音読み、訓読みの順にならべてあります。同じ読みの場合は、画数の少ない順です。
4. 数字は、その漢字がのっているページです。

あ

あい	相	37
（あきなう）	商	45
アク	悪	79
あく	開	123
あける	開	123
あじ	味	42
あじわう	味	42
あそぶ	遊	76
あたたか	温	152
あたたかい	温	152
あたたまる	温	152
あたためる	温	152
あつい	暑	141
あつまる	集	97
あつめる	集	97
あぶら	油	149
あらわす	表	218
あらわれる	表	218
ある	有	59
アン	安	132
アン	暗	140

い

イ	医	185
イ	委	26
イ	意	82
いき	息	46
イク	育	27
いそぐ	急	78
いた	板	102
いのち	命	44
イン	員	98
イン	院	169
イン	飲	33

う

（ウ）	有	59
うえる	植	106
うかる	受	62
うける	受	62
うごかす	動	89
うごく	動	89
うつ	打	53
うつくしい	美	93
うつす	写	135
うつる	写	135
うわる	植	106
ウン	運	75

え

え	重	191
エイ	泳	151
エキ	駅	95
(エキ)	役	69

お

(オ)	和	43
(オ)	悪	79
オウ	央	15
オウ	横	107
おう	追	72
おう	負	99
おえる	終	213
おきる	起	67
オク	屋	31
おくる	送	73
おこす	起	67
おこる	起	67
おちる	落	111
おとす	落	111
おも	主	200
(おも)	面	34
おもい	重	191
おもて	表	218
(おもて)	面	34
およぐ	泳	151
おわる	終	213
オン	温	152

か

カ	化	16
(カ)	荷	109
カイ	界	177
カイ	階	170
カイ	開	123
かえす	返	71
かえる	代	19
かえる	返	71
かかり	係	22
かかる	係	22
(カク)	客	133
かさなる	重	191
かさねる	重	191
かつ	勝	87
かなしい	悲	80
かなしむ	悲	80
かみ	神	194
かるい	軽	211
(かろやか)	軽	211
かわ	皮	91
かわる	代	19
カン	寒	163
カン	感	81
カン	漢	161
カン	館	128
(かん)	神	194
ガン	岸	164

き

キ	起	67
キ	期	142
きえる	消	160
きし	岸	164
きせる	着	94
きまる	決	157
きみ	君	60
きめる	決	157
キャク	客	133
キュウ	究	146

キュウ	急	78
キュウ	級	214
キュウ	宮	127
キュウ	球	219
キョ	去	189
キョウ	橋	108
ギョウ	業	203
キョク	曲	190
キョク	局	30
きる	着	94
(きわめる)	究	146
ギン	銀	175

く

ク	区	186
ク	苦	113
(ク)	宮	127
(ク)	庫	136
グ	具	51
(グウ)	宮	127
くすり	薬	112
くばる	配	197
くらい	暗	140
くるしい	苦	113
くるしむ	苦	113
くるしめる	苦	113
クン	君	60

け

(ケ)	化	16
ケイ	係	22
ケイ	軽	211
けす	消	160
ケツ	血	184
ケツ	決	157
ケン	県	100
ケン	研	173

こ

コ	去	189
コ	庫	136
コ	湖	159
(ゴ)	期	142
コウ	向	126
コウ	幸	14
コウ	港	158
(こう)	神	194
ゴウ	号	41
(ゴウ)	業	203
こおり	氷	162
こと	事	63
ころがす	転	210
ころがる	転	210
ころげる	転	210
ころぶ	転	210
コン	根	105

さ

サイ	祭	196
さいわい	幸	14
さか	坂	147
さか	酒	198

さけ	酒	198
さす	指	55
(さだか)	定	131
さだまる	定	131
さだめる	定	131
(さち)	幸	14
さま	様	104
さむい	寒	163
さら	皿	183
さる	去	189

し

シ	仕	17
シ	死	85
シ	使	21
シ	始	25
シ	指	55
シ	歯	39
シ	詩	49
(シ)	次	28
ジ	次	28
ジ	事	63
ジ	持	56
(ジ)	仕	17
じ	路	64
しあわせ	幸	14
シキ	式	204
ジツ	実	130
しな	品	40
しぬ	死	85
しま	島	165
シャ	写	135
シャ	者	122
(シャク)	昔	143
(ジャク)	着	94
シュ	主	200
シュ	守	129
シュ	取	61
シュ	酒	198
ジュ	受	62
シュウ	州	144
シュウ	終	213
シュウ	習	96
シュウ	集	97
(シュウ)	拾	54
ジュウ	住	18
ジュウ	重	191
(ジュウ)	拾	54
シュク	宿	134
ショ	所	205
ショ	暑	141
ジョ	助	88
ショウ	昭	139
ショウ	消	160
ショウ	商	45
ショウ	章	187
ショウ	勝	87
(ショウ)	相	37
ジョウ	定	131
ジョウ	乗	101
ショク	植	106
しらべる	調	50
(しろ)	代	19
シン	身	24
シン	神	194
シン	真	35
シン	進	74
シン	深	156
(シン)	申	145
ジン	神	194

す

ス	守	129
(ス)	主	200
(す)	州	144
ズ	豆	199
(ズ)	事	63
(すけ)	助	88
すすむ	進	74
すすめる	進	74
すべて	全	174
すまう	住	18
すみ	炭	180
(すみやか)	速	77
すむ	住	18

せ

セ	世	220
セイ	世	220
セイ	整	68
(セキ)	昔	143
ゼン	全	174

そ

(ソ)	想	83
ソウ	送	73
ソウ	相	37
ソウ	想	83
ソク	速	77
ソク	息	46
ゾク	族	209
そそぐ	注	148
そだつ	育	27
そだてる	育	27
そらす	反	58
そる	反	58

た

タ	他	20
ダ	打	53
タイ	代	19
タイ	対	57
タイ	待	70
ダイ	代	19
ダイ	第	115
ダイ	題	36
たいら	平	114
(タク)	度	137
たすかる	助	88
たすける	助	88
たび	旅	208
(たび)	度	137
たま	球	219
タン	炭	180
タン	短	202
(タン)	反	58
ダン	談	48

ち

ち	血	184
チャク	着	94
チュウ	注	148
チュウ	柱	103
チョウ	丁	188
チョウ	重	191
チョウ	帳	217
チョウ	調	50

つ

ツ	都	172
ツイ	追	72
(ツイ)	対	57
つかう	使	21
つかえる	仕	17
つぎ	次	28
つく	着	94
つぐ	次	28
つける	着	94
(つどう)	集	97
(つら)	面	34

て

テイ	定	131
テイ	庭	138
(テイ)	丁	188
テキ	笛	119
テツ	鉄	176
テン	転	210

と

ト	都	172
ト	登	66
(ト)	度	137
ド	度	137
とい	問	38
トウ	投	52
トウ	豆	199
トウ	島	165
トウ	湯	153
トウ	登	66
トウ	等	117
とう	問	38
ドウ	動	89
ドウ	童	192
(とぐ)	研	173
ところ	所	205
ととのう	整	68
(ととのう)	調	50
ととのえる	整	68
(ととのえる)	調	50
とる	取	61
とん	問	38

な

ながす	流	155
ながれる	流	155
なげる	投	52
(なごむ)	和	43
(なごやか)	和	43
なみ	波	150
ならう	習	96

に

に	荷	109
にがい	苦	113
にがる	苦	113
にわ	庭	138

ぬ

ぬし	主	200

ね

ね	根	105
ねる	練	215

の

ノウ	農	179
のせる	乗	101
のぼる	登	66
のむ	飲	33
のる	乗	101

は

ハ	波	150
は	葉	110
は	歯	39
ハイ	配	197
バイ	倍	23
ばかす	化	16
はぐくむ	育	27
ばける	化	16
はこ	箱	118
はこぶ	運	75
はし	橋	108
はじまる	始	25
はじめる	始	25
はしら	柱	103
はた	畑	178
はたけ	畑	178
ハツ	発	65
はな	鼻	47
はなす	放	84
はなつ	放	84
はなれる	放	84
はやい	速	77
はやまる	速	77
はやめる	速	77
ハン	反	58
ハン	板	102
(ハン)	坂	147
バン	板	102

ひ

ヒ	皮	91
ヒ	悲	80
(ひ)	氷	162
ビ	美	93
(ビ)	鼻	47
ヒツ	筆	116
ひつじ	羊	92
ひとしい	等	117
ヒョウ	氷	162
ヒョウ	表	218
ビョウ	平	114
ビョウ	秒	120
ビョウ	病	32
ひら	平	114
ひらく	開	123
ひらける	開	123
ひろう	拾	54
ヒン	品	40

ふ

フ	負	99
ブ	部	171
ふえ	笛	119
ふかい	深	156
ふかまる	深	156
ふかめる	深	156
フク	服	206

フク	福	195
ブツ	物	90
ふで	筆	116

へ

ヘイ	平	114
(ヘイ)	病	32
ヘン	返	71
ベン	勉	86

ほ

ホウ	放	84
ほうる	放	84
ほか	他	20
(ホツ)	発	65
(ホン)	反	58

ま

ま	真	35
まかす	負	99
まがる	曲	190
まける	負	99
まげる	曲	190
(まさる)	勝	87
まつ	待	70
まったく	全	174
まつり	祭	196
まつる	祭	196
まめ	豆	199
まもる	守	129

み

ミ	味	42
み	身	24
み	実	130
みじかい	短	202
みずうみ	湖	159
みどり	緑	216
みなと	港	158
みのる	実	130
みや	宮	127
みやこ	都	172
(ミョウ)	命	44

む

むかう	向	126
むかし	昔	143
むく	向	126
むける	向	126
むこう	向	126

め

メイ	命	44
メン	面	34

も

もうす	申	145
モツ	物	90
もつ	持	56
もの	者	122
もの	物	90
(もり)	守	129
モン	問	38

や

や	屋	31
やかた	館	128
ヤク	役	69
ヤク	薬	112
やすい	安	132
やど	宿	134
やどす	宿	134
やどる	宿	134
やまい	病	32
(やむ)	病	32
(やわらぐ)	和	43
(やわらげる)	和	43

ゆ

ユ	由	121
ユ	油	149
(ユ)	遊	76
ゆ	湯	153
(ユイ)	由	121
ユウ	由	121
ユウ	有	59
ユウ	遊	76
ゆだねる	委	26
ゆび	指	55

よ

ヨ	予	181
よ	世	220
よ	代	19
ヨウ	羊	92
ヨウ	洋	154
ヨウ	葉	110
ヨウ	陽	168
ヨウ	様	104
よこ	横	107
(よし)	由	122

ら

(ライ)	礼	193
ラク	落	111

り

リュウ	流	155
リョ	旅	208
リョウ	両	212
リョク	緑	216

る

(ル)	流	155

れ

レイ	礼	193
レツ	列	201
レン	練	215

ろ

ロ	路	64
(ロク)	緑	216

わ

ワ	和	43
(わざ)	業	203
(わらべ)	童	192
わるい	悪	79

画さくいん

1. 漢字の読みがわからないときに、漢字の画数をかぞえて文字をさがします。
2. 画数の少ない順にならべてあります。画数が同じものは、音読みの五十音順です。
3. 数字は、その漢字がのっているページです。

2画

- 丁 ……… 188

4画

- 化 ……… 16
- 区 ……… 186
- 反 ……… 58
- 予 ……… 181

5画

- 央 ……… 15
- 去 ……… 189
- 号 ……… 41
- 皿 ……… 183
- 仕 ……… 17
- 写 ……… 135
- 主 ……… 200
- 申 ……… 145
- 世 ……… 220
- 他 ……… 20
- 打 ……… 53
- 代 ……… 19
- 皮 ……… 91
- 氷 ……… 162
- 平 ……… 114
- 由 ……… 121
- 礼 ……… 193

6画

- 安 ……… 132
- 曲 ……… 190
- 血 ……… 184
- 向 ……… 126
- 死 ……… 85
- 次 ……… 28
- 式 ……… 204
- 守 ……… 129
- 州 ……… 144
- 全 ……… 174
- 有 ……… 59
- 羊 ……… 92
- 両 ……… 212
- 列 ……… 201

7画

- 医 ……… 185
- 究 ……… 146
- 局 ……… 30
- 君 ……… 60
- 決 ……… 157
- 住 ……… 18
- 助 ……… 88
- 身 ……… 24
- 対 ……… 57
- 投 ……… 52
- 豆 ……… 199
- 坂 ……… 147
- 返 ……… 71
- 役 ……… 69

8画

- 委 ……… 26
- 育 ……… 27
- 泳 ……… 151
- 岸 ……… 164
- 苦 ……… 113
- 具 ……… 51
- 幸 ……… 14
- 使 ……… 21
- 始 ……… 25
- 事 ……… 63
- 実 ……… 130

247

者	122
取	61
受	62
所	205
昔	143
注	148
定	131
波	150
板	102
表	218
服	206
物	90
放	84
味	42
命	44
油	149
和	43

9画

屋	31
界	177
客	133
急	78
級	214
係	22
県	100
研	173
指	55
持	56

拾	54
重	191
昭	139
乗	101
神	194
送	73
相	37
待	70
炭	180
柱	103
追	72
度	137
畑	178
発	65
美	93
秒	120
品	40
負	99
面	34
洋	154

10画

員	98
院	169
荷	109
起	67
宮	127
庫	136
根	105
酒	198
消	160
真	35
速	77
息	46
庭	138
島	165

配	197
倍	23
病	32
勉	86
流	155
旅	208

11画

悪	79
球	219
祭	196
終	213
習	96
宿	134
商	45
章	187
進	74
深	156
族	209
第	115
帳	217
笛	119
転	210
都	172
動	89
部	171
問	38

12画

飲	33
運	75
温	152
階	170
開	123
寒	163
期	142
軽	211
湖	159
港	158
歯	39
集	97
暑	141
勝	87
植	106
短	202
着	94
湯	153
登	66
等	117
童	192
悲	80
筆	116
遊	76
葉	110
陽	168
落	111

13画

暗	140
意	82
感	81
漢	161
業	203
詩	49
想	83
鉄	176
農	179
福	195
路	64

14画

駅	95
銀	175
鼻	47
様	104
緑	216
練	215

15画

横	107
談	48
調	50
箱	118

16画

館	128
橋	108
整	68
薬	112

18画

題	36

部首さくいん

❶ここでは、3年生でならう漢字を部首ごとにまとめました。
❷部首は、画数順にならべてあります。
❸同じ部首のなかでは、漢字の画数の少ない順にならべてあります。画数が同じものは、音読みの五十音順です。
❹数字は、その漢字がのっているページです。
＊部首のよび名や分け方は、辞典によってことなることがあります。

一(いち)の部
丁 ……… 188
世 ……… 220
両 ……… 212

、(てん)の部
主 ……… 200

ノ(はらいぼう)の部
乗 ……… 101

亅(はねぼう)の部
予 ……… 181
事 ……… 63

人(ひと)の部
イ(にんべん)
人(ひとやね)

仕 ……… 17
他 ……… 20
代 ……… 19
全 ……… 174
住 ……… 18
使 ……… 21
係 ……… 22
倍 ……… 23

八(はち)の部
具 ……… 51

冖(わかんむり)の部
写 ……… 135

刀(かたな)の部
刂(りっとう)

列 ……… 201

力(ちから)の部
助 ……… 88
勉 ……… 86
動 ……… 89
勝 ……… 87

匕(ひ)の部
化 ……… 16

匚(かくしがまえ)の部
区 ……… 186
医 ……… 185

ム(む)の部
去 ……… 189

又(また)の部
反 ……… 58
取 ……… 61
受 ……… 62

口(くち)の部
口(くちへん)

号 ……… 41
向 ……… 126
君 ……… 60
味 ……… 42
命 ……… 44
和 ……… 43
品 ……… 40
員 ……… 98
商 ……… 45
問 ……… 38

土(つち)の部
扌(つちへん)

坂 ……… 147

大(だい)の部

央 ……… 15

女(おんな)の部
女(おんなへん)

委 ……… 26
始 ……… 25

宀(うかんむり)の部

安 ……… 132
守 ……… 129
実 ……… 130
定 ……… 131
客 ……… 133
宮 ……… 127
宿 ……… 134
寒 ……… 163

寸(すん)の部

対 ……… 57

尸(しかばね)の部

局 ……… 30
屋 ……… 31

山(やま)の部

岸 ……… 164
島 ……… 165

川(かわ)の部

州 ……… 144

巾(はば)の部
巾(はばへん)

帳 ……… 217

干(いちじゅう)の部

平 ……… 114
幸 ……… 14

广(まだれ)の部

度 ……… 137
庫 ……… 136
庭 ……… 138

弋(しきがまえ)の部

式 ……… 204

彳(ぎょうにんべん)の部

役 ……… 69
待 ……… 70

艹(くさかんむり)の部

苦 ……… 113
荷 ……… 109
葉 ……… 110
落 ……… 111
薬 ……… 112

辶(しんにょう)の部

返 ……… 71
送 ……… 73
追 ……… 72
速 ……… 77
進 ……… 74
運 ……… 75
遊 ……… 76

阝(こざとへん)の部

院 ……… 169
階 ……… 170
陽 ……… 168

阝(おおざと)の部

都 ……… 172
部 ……… 171

耂(おいかんむり)の部

者 ……… 122

心(こころ)の部

急 ……… 78
息 ……… 46
悪 ……… 79
悲 ……… 80
意 ……… 82
感 ……… 81
想 ……… 83

戸(と)の部

所 ……… 205

手(て)の部
扌(てへん)

打 ……… 53
投 ……… 52
指 ……… 55
持 ……… 56
拾 ……… 54

251

攵(のぶん)の部

放 ‥‥‥‥‥84
整 ‥‥‥‥‥68

方(ほう)の部
方(かたへん)

旅 ‥‥‥‥‥208
族 ‥‥‥‥‥209

日(ひ)の部
日(ひへん)

昔 ‥‥‥‥‥143
昭 ‥‥‥‥‥139
暑 ‥‥‥‥‥141
暗 ‥‥‥‥‥140

曰(ひらび)の部

曲 ‥‥‥‥‥190

月(つき)の部
月(つきへん)

有 ‥‥‥‥‥59
服 ‥‥‥‥‥206
期 ‥‥‥‥‥142

木(き)の部
木(きへん)

板 ‥‥‥‥‥102
柱 ‥‥‥‥‥103
根 ‥‥‥‥‥105
植 ‥‥‥‥‥106
業 ‥‥‥‥‥203
様 ‥‥‥‥‥104
横 ‥‥‥‥‥107
橋 ‥‥‥‥‥108

欠(あくび)の部

次 ‥‥‥‥‥28

歹(いちたへん)の部

死 ‥‥‥‥‥85

水(みず)の部
氵(さんずい)

氷 ‥‥‥‥‥162
決 ‥‥‥‥‥157
泳 ‥‥‥‥‥151
注 ‥‥‥‥‥148
波 ‥‥‥‥‥150
油 ‥‥‥‥‥149
洋 ‥‥‥‥‥154
消 ‥‥‥‥‥160
流 ‥‥‥‥‥155
深 ‥‥‥‥‥156
温 ‥‥‥‥‥152
湖 ‥‥‥‥‥159
港 ‥‥‥‥‥158
湯 ‥‥‥‥‥153
漢 ‥‥‥‥‥161

火(ひ)の部

炭 ‥‥‥‥‥180

牛(うし)の部
牛(うしへん)

物 ‥‥‥‥‥90

玉(たま)の部
王(おうへん)

球 ‥‥‥‥‥219

田(た)の部

申 ‥‥‥‥‥145
由 ‥‥‥‥‥121
界 ‥‥‥‥‥177
畑 ‥‥‥‥‥178

疒(やまいだれ)の部

病 ‥‥‥‥‥32

癶(はつがしら)の部

発 ‥‥‥‥‥65
登 ‥‥‥‥‥66

皮(けがわ)の部

皮 ‥‥‥‥‥91

皿(さら)の部

皿 ‥‥‥‥‥183

目(め)の部

県 ‥‥‥‥‥100
相 ‥‥‥‥‥37
真 ‥‥‥‥‥35

矢(や)の部
矢(やへん)

短 ‥‥‥‥‥202

石(いし)の部
石(いしへん)

研 ……… 173

示(しめす)の部
ネ(しめすへん)

礼 ……… 193
神 ……… 194
祭 ……… 196
福 ……… 195

禾(のぎへん)の部

秒 ……… 120

穴(あな)の部
穴(あなかんむり)

究 ……… 146

立(たつ)の部

章 ……… 187
童 ……… 192

竹(たけ)の部
⺮(たけかんむり)

第 ……… 115
笛 ……… 119
等 ……… 117
筆 ……… 116
箱 ……… 118

糸(いと)の部
糸(いとへん)

級 ……… 214
終 ……… 213
緑 ……… 216
練 ……… 215

羊(ひつじ)の部

羊 ……… 92
美 ……… 93
着 ……… 94

羽(はね)の部

習 ……… 96

肉(にく)の部
月(にくづき)

育 ……… 27

血(ち)の部

血 ……… 184

衣(ころも)の部

表 ……… 218

言(げん)の部
言(ごんべん)

詩 ……… 49
談 ……… 48
調 ……… 50

豆(まめ)の部

豆 ……… 199

貝(かい)の部

負 ……… 99

走(はしる)の部
走(そうにょう)

起 ……… 67

足(あし)の部
足(あしへん)

路 ……… 64

身(み)の部

身 ……… 24

車(くるま)の部
車(くるまへん)

転 ……… 210
軽 ……… 211

辰(しんのたつ)の部

農 ……… 179

酉(ひよみのとり)の部
酉(とりへん)

酒 ……… 198
配 ……… 197

里(さと)の部

重 ……… 191

金(かね)の部
金(かねへん)

鉄 ……… 176
銀 ……… 175

門(もんがまえ)の部

開 ……… 123

隹(ふるとり)の部
集 ………… 97

面(めん)の部
面 ………… 34

頁(おおがい)の部
題 ………… 36

食(しょく)の部
食(しょくへん)
飲 ………… 33
館 ………… 128

馬(うま)の部
馬(うまへん)
駅 ………… 95

歯(は)の部
歯 ………… 39

鼻(はな)の部
鼻 ………… 47

下村式 はやくりさくいん®

❶ 読みや画数がわからなくても、「型」と「書きはじめ（書き順の一画め）」を手がかりに漢字をさがすことができます。型ごとに、書きはじめでわけた漢字を、画数の少ない順にならべ、画数が同じものは、音読みの五十音順にならべてあります。

3つの型	■ 左右型	たてのまっすぐな線、またはへん・つくりなどで、左右にわけられる（川、休など）
	■ 上下型	よこのまっすぐな線、またはかんむり・あしなどで、上下にわけられる（六、草など）
	■ その他型	左右にも上下にもわけづらい（耳、夕など）
4つの書きはじめ	一（よこぼう）	書きはじめが 一（十、木など）
	｜（たてぼう）	書きはじめが ｜（目、口など）
	ノ（ななめぼう）	書きはじめが ノ（休、竹など）
	丶（てん）	書きはじめが 丶（空、音など）

❷ 型や書きはじめをまようものも、さがせるようになっています。本文にある型とちがうものや、書きはじめをまちがえやすいものは、赤字でしめしてあります。
❸ 数字は、その漢字がのっているページです。

■ 左右型

一（よこぼう）

打 ………… 53
列 ………… 201
投 ………… 52
坂 ………… 147
始→ななめぼう ‥ 25
取 ………… 61
所 ………… 205
板 ………… 102
研 ………… 173
指 ………… 55
持 ………… 56
拾 ………… 54
相 ………… 37
柱 ………… 103
院 ………… 169
根 ………… 105
配 ………… 197
球 ………… 219
転 ………… 210
都 ………… 172
階 ………… 170
期 ………… 142
軽 ………… 211
植 ………… 106
陽 ………… 168
駅→たてぼう ‥‥ 95
様 ………… 104
横 ………… 107
橋 ………… 108

｜（たてぼう）

氷→その他型 ‥‥ 162
助 ………… 88
味 ………… 42
昭 ………… 139
院→よこぼう ‥‥ 169
帳 ………… 217
階→よこぼう ‥‥ 170
陽→よこぼう ‥‥ 168
暗 ………… 140
路 ………… 64
駅 ………… 95

ノ（ななめぼう）

化 ………… 16
仕 ………… 17

他 …………… 20	畑 …………… 178	🟥 上下型
代 …………… 19	洋 …………… 154	
住 …………… 18	酒 …………… 198	一（よこぼう）
役 …………… 69	消 …………… 160	去→その他型 …189
使 …………… 21	流 …………… 155	死 …………… 85
始 …………… 25	旅 …………… 208	両→その他型 …212
服 …………… 206	深 …………… 156	局 …………… 30
物 …………… 90	族 …………… 209	豆 …………… 199
和 …………… 43	部 …………… 171	苦 …………… 113
級 …………… 214	温 …………… 152	者 …………… 122
係 …………… 22	湖 …………… 159	昔 …………… 143
待 …………… 70	港 …………… 158	表→その他型 …218
秒 …………… 120	湯 …………… 153	屋 …………… 31
倍 …………… 23	漢 …………… 161	発 …………… 65
終 …………… 213	詩 …………… 49	荷 …………… 109
動 …………… 89	福 …………… 195	真 …………… 35
飲 …………… 33	談 …………… 48	悪 …………… 79
勝 …………… 87	調 …………… 50	習 …………… 96
短 …………… 202		登 …………… 66
鉄 …………… 176		悲→ななめぼう ‥80
銀 …………… 175		葉 …………… 110
緑 …………… 216		落 …………… 111
練 …………… 215		感→ななめぼう ‥81
館 …………… 128		想 …………… 83
		整 …………… 68
、（てん）		薬 …………… 112
礼 …………… 193		
次 …………… 28		
州 …………… 144		
決 …………… 157		
対 …………… 57		
泳 …………… 151		
注 …………… 148		
波 …………… 150		
放 …………… 84		
油 …………… 149		
神 …………… 194		

│(たてぼう)

号	41
写	135
岸	164
具	51
界→その他型	177
炭	180
品	40
員	98
暑→その他型	141
業	203
農	179

ノ(ななめぼう)

全	174
委	26
受	62
命	44
急	78
負	99
息	46
第	115
笛	119
集	97
等	117
悲	80
筆	116
感	81
鼻	47
箱	118

、(てん)

安	132
守	129
羊→その他型	92
究	146
育	27
実	130
定	131
客	133
美	93
宮	127
病→その他型	32
宿	134
章	187
寒	163
着	94
童	192
意	82

□ その他型

一(よこぼう)

丁	188
区	186
反	58
予	181
去	189
世	220
皮→ななめぼう	91
平	114
死→上下型	85
式	204
有→ななめぼう	59
両	212
医	185
局→上下型	30
君	60
返	71
幸	14
事	63
者→上下型	122
表	218
屋→上下型	31
発→上下型	65
面	34
起	67
速	77
歯→たてぼう	39
登→上下型	66

│(たてぼう)

央	15
皿	183
写→上下型	135
申	145
氷	162

由 …………121	負→上下型 ……99	病 …………32
曲 …………190	島 …………165	宿→上下型 ……134
界 …………177	勉 …………86	商 …………45
県 …………100	祭 …………196	進→ななめぼう ‥74
問 …………38	進 …………74	運→たてぼう ……75
運 …………75	集→上下型 ……97	寒→上下型 ……163
開 …………123		着→上下型 ……94
歯 …………39	**、(てん)**	遊 …………76
暑 …………141	主 …………200	
業→上下型 ……203	安→上下型 ……132	
題 …………36	守→上下型 ……129	
	州→左右型 ……144	
ノ(ななめぼう)	羊 …………92	
皮 …………91	返→よこぼう ……71	
血 …………184	実→上下型 ……130	
向 …………126	定→上下型 ……131	
全→上下型 ……174	客→上下型 ……133	
有 …………59	送 …………73	
身 …………24	度 …………137	
受→上下型 ……62	美→上下型 ……93	
命→上下型 ……44	宮→上下型 ……127	
重 …………191	庫 …………136	
乗 …………101	速→よこぼう ……77	
追 …………72	庭 …………138	

クイズのこたえ

16ページ…①	24ページ…③	33ページ…①	34ページ…四
39ページ…①	40ページ…①	44ページ…②	47ページ…①
48ページ…畑	51ページ…真	52ページ…②	64ページ…①
74ページ…①	79ページ…②	82ページ…②	101ページ…③
102ページ…②	106ページ…県	108ページ…③	110ページ…②
111ページ…①	116ページ…①	118ページ…想	120ページ…委
132ページ…院	144ページ…三・九		148ページ…③
161ページ…②	162ページ…③	164ページ…③	172ページ…暑
179ページ…③	180ページ…岸	183ページ…②	201ページ…死
212ページ…①	220ページ…①		

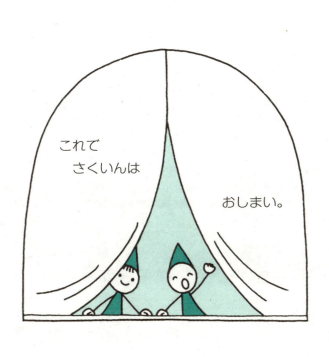

漢字ファミリー分類表

下村式の漢字学習では、漢字を「なりたち」の意味から、人体①〜⑤・動物・植物・住居・自然・道具・服飾・その他の計12の「漢字ファミリー」にわけて学びます。

漢字ファミリーのシンボルマーク

人体　動物　植物　住居　自然　道具　服飾　その他

「漢字ファミリー分類表」は、小学校でならう漢字1026字を、漢字ファミリーごとにまとめて、ならべたものです。漢字の下の数字は、ならう学年です。色のついた数字は、この本にでてくる漢字です。
＊学年をこえて、なりたちを優先したので、本文とは順番がかわっています。

こんなふうに　つかってみよう

ほかの学年では、おなじ漢字ファミリーのどんな漢字を学んだか、また、これからどんな漢字を学ぶのか、思いだしたり、たしかめたりすれば、学習が深まるでしょう。

人体① 全身（人の全身の形からできた字）

大	太	天	立	並	夫	失	央	交	文	幸	報	要	人	以
1	2	1	1	6	4	4	3	2	1	3	5	4	1	4
似	休	体	仏	伝	仁	仕	任	何	代	他	付	仲	仮	件
5	1	2	5	4	6	3	5	2	3	3	4	4	5	5
作	位	住	信	倍	低	供	使	便	例	側	価	値	係	保
2	4	3	4	3	4	6	3	4	4	4	5	6	3	5
候	修	借	個	俵	俳	優	健	停	備	働	佐	傷	像	億
4	5	4	5	6	6	6	4	5	5	4	4	6	5	4
聖	化	北	比	后	司	身	女	母	妻	姿	委	姉	妹	婦
6	3	2	5	6	4	3	1	2	5	6	3	2	2	5
好	始	媛	子	育	児	字	学	存	季	孫	乳	長	老	考
4	3	4	1	3	4	1	1	6	4	4	6	2	4	2
孝	欠	歌	次	欲	屋	届	展	病	痛	己	丸	巻	包	色
6	4	2	3	6	3	6	6	3	6	6	2	6	4	2
局	居	危	印	今	令	会	合	食	飲	飯	飼
3	5	6	4	2	4	2	2	2	3	4	5

人体② 頭（人の頭や顔の形からできた字）

首2	真3	面3	頭2	顔2	額5	頂6	順4	預6	領5	題3	類4	願4	目1	見1	看6
省4	直2	眼5	相3	覚4	覧6	規5	視6	親2	観4	臣6	臨6	衆6	夢5	民4	口1
品3	名1	各4	君3	告5	古2	否6	喜5	号3	句5	可5	味3	呼6	吸6	唱4	和3
命3	周4	問3	商3	舌6	辞4	歯3	自2	鼻3	耳1	職5	聞2	言2	音1	話2	語2
読2	説4	評5	討6	論6	認6	識5	講5	議4	記2	訳6	詩3	詞6	誌6	訓4	設5
訪6	証5	談3	試4	誠6	課4	計2	許5	謝5	調3	誤6	諸6	誕6	警4	護5	競4
善6															

人体③ 手（人の手の形からできた字）

手1	挙4	公2	友2	指3	持3	投3	打3	拾6	捨6	拝6	折4	技5	招5	授5	採5
探6	操6	批6	拡6	担6	接5	推6	提5	揮6	損6	共4	具3	異6	興5	弁5	奏6
承6	尊6	有3	右1	左1	差4	尺6	反3	収6	取3	最4	受3	寸6	寺2	将6	専6
導5	対3	射6	就6	改4	放3	故5	政5	教2	数2	敗4	救4	散4	敬6	敵3	整3
段6	殺5	支5	争4	史5	書2	事3									

人体④ 足（人の足の形からできた字）

足1 路3 止2 正1 出1 歩2 歴6 疑2 夏2 発3 登3 先1 元2 兄2 光2 党6
走2 起3 行2 街4 術5 衛5 往5 復5 径3 役3 後3 待3 徒6 従6 律6 得5
徳4 道2 通2 進3 遠2 近2 週2 過5 遊3 迷5 返3 逆5 達4 追3 退6 連4
速3 運3 送3 述5 辺4 選4 造5 適5 遺6 帰2 建4 延6

人体⑤ その他（人の体の中やうての形からできた字）

心2 思2 意3 念4 想3 感3 応5 急3 息3 志5 忠6 恩6 愛4 悲3 悪3 態5
忘6 憲6 快5 性5 情5 慣5 肉2 胃6 背6 脳6 胸6 肺6 腹6 腸6 臓6 脈5
肥5 骨6 死3 残4 力1 協4 加4 助3 動3 功4 効5 勤6 勉3 労4 努4 勇4
勢5 務5 勝3

動物（動物の形からできた字）

犬1 状5 犯5 独4 牛2 半2 物3 牧4 特4 羊3 美3 着3 義5 養4 群4 馬2
駅3 験4 象5 鳥2 鳴2 集3 難6 雑5 羽2 習3 翌6 飛4 非5 毛2 巣4 弱2
西2 不4 至6 奮6 虫1 蚕6 魚2 貝1 員3 負3 買2 売2 責5 費5 貴6 賞5
賛5 賀4 貿5 貨4 貸5 賃6 資5 質5 貧5 貯5 財5 角2 解5 皮3 求4 革6
卵6 易5 属5 県3 能5 熊4 鹿4

植物（草や木の形からできた字）

| 木 | 林 | 森 | 本 | 末 | 束 | 栄 | 案 | 条 | 染 | 梨 | 査 | 乗 | 松 | 梅 | 桜 |
| 1 | 1 | 1 | 1 | 4 | 4 | 4 | 4 | 5 | 6 | 4 | 5 | 4 | 4 | 4 | 5 |

村 校 株 根 枝 樹 植 材 板 枚 柱 棒 札 机 検 格
1　1　6　3　5　6　3　4　3　4　3　6　4　6　5　5

模 権 標 構 横 様 橋 機 械 極 栃 片 版 未 果 由
6　6　4　5　3　3　3　4　4　4　4　6　5　4　4　3

草 芽 菜 花 英 落 葉 薬 苦 若 芸 茶 蒸 荷 著 蔵
1　4　4　1　4　3　3　3　3　6　4　2　6　3　6　6

茨 才 生 産 毎 毒 垂 平 青 静 竹 笑 笛 管 筆 箱
4　2　1　4　2　5　6　3　1　4　1　4　3　4　3　3

節 筋 答 算 策 第 等 簡 築 米 粉 精 糖 秋 秒 移
4　6　2　2　6　3　3　6　5　2　4　5　6　2　3　5

程 税 積 種 穀 科 私 秘 香 麦 来 年 者
5　5　4　4　6　2　6　6　4　2　2　1　3

 住居（家の形からできた字）

門 戸 間 開 閉 関 閣 京 高 向 倉 舎 余 館 営 家
2　2　2　3　6　4　6　2　2　3　4　5　5　3　5　2

宅 宮 官 宣 室 宿 客 寄 定 実 宝 富 守 安 容 完
6　3　4　6　2　3　3　5　3　3　6　4　3　3　5　4

害 宇 宙 宗 察 密 写 庫 店 広 底 庭 度 府 庁 序
4　6　6　6　4　6　3　3　2　2　4　3　3　4　6　5

座 康 層 囲 図 国 園 団 因 困 固 円 市
6　4　6　5　2　2　5　5　5　6　4　1　2

自然 (山や川などの自然の形からできた字)

日1	白1	旧5	東2	春2	早1	星2	景4	暴5	昔3	昼2	暑3	暮6	幹5	時2	多2	晴2	
暗3	昭3	映6	昨4	晩6	暖6	曜2	的4	月1	明2	朝2	期3	朗6	望4	夕1	河5		
外2	夜2	雨2	雪2	雲2	申3	電2	気1	風2	川1	州3	水1	池2	湖3	消3			
漢3	源6	流3	海2	洋3	波3	激6	潮6	温3	湯3	液5	油3	活2	汽2	注3	清4	潔5	
派6	泳3	洗6	浴4	沿6	泣4	混5	演5	漁4	港3	深3	浅4	満4	減3	冷4	冬2		
法4	治4	決3	済6	測5	沖4	潟4	滋	準5	崎4	阜	泉5	原2	谷2	回2	氷3	防5	降6
寒3	山1	岩2	岸3	島3	岡	岐4	崎4	阜	階3	院2	陽3	限5	陸4	石1	砂6		
除6	険5	隊4	陛6	障6	際5	阪4	厚5	厳6	都3	郡4	部3	郷6	郵6	録4	田1		
磁6	研3	破5	確5	金1	全3	銀3	銅5	鉄3	鉱5	鋼6	針6	銭6	鏡4	穴6	空1		
畑3	男1	界3	町1	略5	留5	番2	画2	農3	博4	里2	野2	入1	内2	域6	均5		
究3	窓6	土1	圧5	在5	型5	堂5	基5	墓5	地2	坂3	場2	境5	城4	照4	然4	熱4	
増5	塩4	埼4	火1	灰6	炭3	災5	赤1	黄2	灯4	焼4	燃5	黒2					
熟6	無4																

道具 (道具や武器の形からできた字)

| 皿3 | 血3 | 益5 | 盛6 | 盟6 | 酒3 | 配3 | 酸5 | 区3 | 医3 | 去3 | 丁3 | 曲3 | 器4 | 豆3 | 豊5 |

示5 祭3 禁5 票4 奈4 神3 社2 祖5 礼3 祝4 福3 良4 料4 量4 重3 置4
罪5 署6 刀2 切2 分2 券5 列3 利4 別4 刷4 副4 則5 判5 制5 刻6 創6
割6 劇6 干6 単4 刊5 式3 武5 我6 戦4 王1 皇6 父2 兵4 士5 新2 断5
所3 成4 弓2 引2 強2 張5 矢2 知2 短3 旅3 族3 旗4 師5 声2 南2 楽2
業3 船2 航5 服3 前2 方2 車1 軍4 転3 軽4 輪4 輸5 両3 弟2 必4 久5
用2 同2 再5 冊6 典4 工2 亡6 予3 氏4 井4 午2 台2 処6 主3 耕5 章3
童3

服飾 (糸や布の形からできた字)

糸1 細2 紀5 経5 線2 縦6 続4 組2 結4 練3 約4 純6 給4 納6 統5 総5
縮6 織5 績5 編5 級4 綿5 絹6 紙2 絵2 紅6 緑3 絶5 終3 縄4 系6 素5
幼6 率5 変4 布5 希4 席4 帯4 常5 幕6 帳3 衣4 表3 裏6 初4 複5 補6
製5 装6 裁6 卒4 玉1 球3 理2 現5 班6 形2 参4 乱6

その他 (数や点などをあらわす字)

一1 二1 三1 四1 五1 六1 七1 八1 九1 十1 百1 千1 万2 兆4 世3 小1
少2 当2 点2 上1 中1 下1

おうちのかたへ

下村　昇

　子どもに漢字を楽しく学ばせるコツは、じつは漢字が本来もっているおもしろさを伝えることです。下村式で覚えた子どもたちは、漢字が好きになります。なぜなら、漢字は小さな部品の組み合わせでできていて、そのことを知ると、学年が進んで難しい漢字が出てきても、書き順も楽に、そして正しく覚えられるようになるからです。この本には、これまでの漢字の学習法にはみられない、いくつかの大きな特色があります。

＊字典ではなく、漢字入門の絵本です
　調べるための字典ではなく、楽しむために全体を絵本的に展開。読んでいくうちに、漢字の基本的意味が理解できます。

＊"識字欲"を刺激する「漢字ファミリー」
　なりたちのパターンを基本に、関連のある漢字をグループにまとめて「漢字ファミリー」に分け、その順に漢字をならべました。漢字学習にもっとも効果的と考えられる配列になっています。

漢字ファミリーのシンボルマーク

人体　　動物　　植物　　住居　　自然　　道具　　服飾　　その他

＊漢字の「なりたち」が基本です
　漢字をもともとの絵にもどして、わかりやすく、さらに興味深く漢字の意味を理解できるようにしました。漢字によっては、新字体となって形が変わっているものや、なりたちにさまざまな説があるものもありますので、子どもに興味や関心をもたせる観点から、理解しやすく、覚えやすい形で表現・創作してあります。

＊リズムにのった「となえかた」で漢字をイメージ化
　独自の下村式の「口唱法®」で、唱えながら筆順が覚えられます。

*音・訓よみの例文が、理解と応用を助けます

　それぞれのよみの的確な例文を収録。漢字の理解だけでなく、文章力をつける手助けにもなります。

　以上が、この『となえて　おぼえる　漢字の本』(学年別／全6巻)の特色です。本文をちょっと読んでください。まったく新しい発想とアイデアでつくられた、字典ではなく「楽しい読み物としての漢字の本」であることがわかっていただけると思います。「漢字ファミリー」に注目しながら、全学年を通して読むと、いっそう漢字への理解が深まります。

　なお、この『となえて　おぼえる　漢字の本』にもとづき、「口唱法」による漢字の書き方の練習や、ストーリー性のある例文で漢字の生きた使い方の学習ができる『となえて かく 漢字練習ノート』(学年別／全6巻)と併用すると、さらに学習が深まります。

── 改訂版によせて ──

　本書は、1965年に出版された『教育漢字学習字典』(下村昇編著・学林書院刊)を底本として、その約10年後の1977年に誕生しました。

　子どもたちが従来の勉強方法から脱却し、なんとか楽しく、能動的・積極的に漢字の学習に身を乗りだしてくれるようにしたいという願いからつくったのですが、「口唱法」という体系的な指導法を創出するのに、最初の『教育漢字学習字典』を上梓してから、実証実験におよそ10年がかかったのです。その間、秋田県・茨城県をはじめ、諸所の国語研究会の先生方に実践検証のために多くのお力をいただきました。

　こうして、授業や家庭でも効果が実証された下村式の漢字学習法・口唱法の内容に、楽しい挿絵を絵本作家のまついのりこさんに描いていただき、できあがったのが本書です。数度の改訂を経て、今回新たな学習指導要領に沿った『漢字の本』ができあがりました。

　こんなにも長く愛される本になるとは、著者である私も驚いています。そして今では、「親子二世代この本で漢字を学びました」という声を聞いたり、小学生のみならず、幼児にも読まれているという話も聞いたりしております。大変うれしいことです。新しくなった『漢字の本』が、これから漢字を覚えるみなさんのお役に立てることを祈っています。

『となえて おぼえる 漢字の本』をつくった人

●下村 昇（しもむら・のぼる）
1933年、東京生まれ。東京学芸大学卒業。小学校教諭、東京都教科能力調査委員、全国漢字漢文研究会理事などを経て、「現代子どもと教育研究所」所長。『下村式 となえて かく 漢字練習ノート（学年別／全6巻）』『下村式 ひらがな練習ノート』（偕成社）、『ドラえもんの学習シリーズ（内5巻）』（小学館）など、漢字・国語関連の学習書や児童文学など、著書多数。2021年逝去。

●まつい のりこ
1934年、和歌山生まれ。武蔵野美術大学卒業。自分の子どもに作った手づくり絵本をきっかけに、物語性のある知識絵本や、観客参加型の紙芝居を発表。絵本『ころころぽーん』で1976年、ボローニャ国際児童図書展エルバ賞、紙芝居『おおきくおおきくおおきくなあれ』で1983年、五山賞を受賞。『じゃあじゃあびりびり』（偕成社）など、著書多数。2017年逝去。

編集協力＝本多慶子・川原みゆき
改訂協力＝下村知行・日本レキシコ・ニシ工芸
なりたち図版協力＝刑部佐知子
装丁＝ニシ工芸（小林友利香）

ご注意●この『となえて おぼえる 漢字の本』の全体および各部分は著者独自の創作です。漢字の〈なりたち〉・〈となえかた〉等を複製することは著作権法により禁止されています。また、「となえて おぼえる」および「口唱法」は登録商標です。

となえて おぼえる **漢字の本** 小学3年生 改訂4版

下村 昇＝著／まつい のりこ＝絵

1977年 8月初　　版 1刷	1989年 9月初　　版81刷
1990年 3月改 訂 版 1刷	2000年 6月改 訂 版50刷
2002年 2月改訂2版 1刷	2010年 1月改訂2版13刷
2011年12月改訂3版 1刷	2018年 1月改訂3版 6刷
2019年 2月改訂4版 1刷	2024年 8月改訂4版 4刷

発行者 今村正樹　**印刷** 大昭和紙工産業　**製本** 難波製本
発行所 偕成社　〒162-8450　東京都新宿区市谷砂土原町3-5
©1977 Noboru SHIMOMURA, Noriko MATSUI　　Printed in Japan
ISBN978-4-03-920530-8　　NDC811　268p. 19cm
※落丁・乱丁本は、おとりかえいたします。